KÉVIN ET LES MAGICIENS

Le Monstre sous le pont

DANS LA MÊME SÉRIE

Déjà parus

Brad Strickland
d'après le héros de John Bellairs

KÉVIN ET LES MAGICIENS

7

Le Monstre sous le pont

Traduit de l'anglais (États-Unis)
par Nikou Tridon

Illustrations originales de Lalex

Jeunesse
ÉDITIONS DU
ROCHER
Jean-Paul Bertrand

Titre original : *The Beast Under the Wizard's Bridge.*

Édition publiée en accord avec Baror International Inc., Armonk, New York, USA.

Tous droits de traduction, de reproduction et d'adaptation réservés pour tous pays.

© Estate of John Bellairs, 2000.

© Éditions du Rocher, 2003, pour la traduction française.

© Illustrations : Lalex.

ISBN 2 268 04743 1

Pour Barbara,
avec tout mon amour.

Chapitre 1

Depuis quelques mois, Kévin Barnavelt était inquiet. Tout avait commencé un après-midi neigeux du mois de février, quand son oncle avait levé les yeux de son journal en bougonnant :

– Ça y est ! Ces idiots l'ont emporté. Le progrès arrive dans le comté de Capharnaum.

Puis il l'avait jeté sur la table d'un air écœuré.

Kévin était à plat ventre sur l'épais tapis brun devant la télévision – un poste très chouette qui avait un écran rond comme un hublot. Il regardait un western mais, en entendant son oncle, il s'était retourné pour lui lancer un coup d'œil.

– Qu'est-ce qui se passe ? lui avait-il demandé.

Jonathan Barnavelt, un homme corpulent sympathique à la barbe et aux cheveux roux striés de blanc, avait secoué la tête et s'était mis les pouces dans les poches de son gilet en fronçant les sourcils.

– Rien, rien. Ne fais pas attention, je parle tout seul.

Il n'avait pas donné d'autre explication.

Un peu plus tard, dans la soirée, Kévin avait parcouru le journal pour savoir ce qui tracassait son oncle, et il avait trouvé en page trois un article intitulé : LE COMTÉ VA REMPLACER LE PONT. Selon le journaliste, des habitants s'étaient plaints de la vétusté du pont de la rivière Wilder. Les autorités étaient d'avis que ce pont métallique était trop étroit et que son état nécessitait d'importants travaux de réfection qui seraient trop onéreux. Le comté avait donc décidé de remplacer la vieille structure par un ouvrage moderne en béton. Et cette nouvelle avait inquiété Kévin comme elle semblait avoir alarmé son oncle.

Kévin était un jeune garçon trapu au visage rond et joufflu encadré de cheveux blonds. Il était né dans le Wisconsin et avait passé les neuf premières années de sa vie dans une petite ville non loin de Milwaukee. Puis ses parents étaient morts dans un terrible accident de voiture, et il était venu vivre avec son oncle Jonathan à New Zebedee, dans le Michigan.

Au début, il s'était senti très seul et triste. Il avait aussi un peu peur de son oncle. Il s'était très vite rendu compte que Jonathan Barnavelt était un sorcier qui ne faisait pas de simples tours de presti-digitation, mais de la vraie magie. Il pouvait par exemple créer de merveilleuses illusions en trois dimensions. Et il avait une voisine qui s'appelait Florence Zimmermann, une bonne et brave sor-cière dont le visage sillonné de rides était toujours gai et souriant, et qui était en plus une fabuleuse cuisinière.

Avec le temps, Kévin s'était peu à peu senti chez lui à New Zebedee. Il allait au collège et était dans la même classe que sa meilleure amie, Emily Pot-tinger. Mais il restait un garçon timide qui man-quait d'assurance, un éternel inquiet doté d'une imagination débordante qui, en toutes circons-tances, lui faisait systématiquement redouter le pire.

Et même s'il avait partagé quelques aventures terrifiantes avec Emily, oncle Jonathan et Mme Zimmermann, il appré-hendait toujours les changements.

Peut-être était-ce à cause des bouleversements qui avaient affecté sa vie après la mort de ses parents. Ou, comme l'avait dit un jour oncle Jonathan, peut-être était-ce simplement un trait de son caractère qui préférait que rien ne vienne troubler l'aspect rassurant de son traintrain quotidien.

Quoi qu'il en soit, le moindre changement le remplissait d'inquiétude. Quand son oncle avait remplacé tous les papiers peints de leur maison du 100, rue Haute, Kévin s'était senti nerveux pendant des semaines. Plus tard, lorsque Jonathan avait arrêté de fumer la pipe – en relevant le défi que lui avait lancé Mme Zimmermann après avoir elle-même renoncé à ses petits cigares –, l'odeur du tabac lui avait terriblement manqué.

Et, maintenant, l'idée que le comté allait remplacer le pont de la rivière Wilder le mettait dans tous ses états. Il est vrai qu'il avait d'autres raisons de s'inquiéter.

Environ un mois après avoir lu l'article du journal, il essaya d'en parler à Emily. Son amie, qui avait presque une tête de plus que lui, était une fille grande et mince aux longs cheveux bruns et raides portant de grosses lunettes à monture noire. Elle avait un côté garçon manqué, mais elle avait la tête sur les épaules, et Kévin admirait son équilibre et son bon sens.

Un après-midi du mois de mars, en sortant du collège, ils s'arrêtèrent tous deux au drugstore pour boire un soda.

La buvette était à droite en entrant dans le magasin, et il en émanait de délicieux effluves de hamburgers et de gâteaux à la noix de coco. Kévin et Emily s'assirent à une petite table ronde devant la vitrine, sur des chaises en fer forgé tarabiscoté peint en blanc. Kévin les aimait bien, car elles étaient garnies de petits coussins en similicuir rouge qui poussaient une sorte de soupir exaspéré lorsqu'on s'asseyait dessus, comme pour dire : «C'est ça, assieds-toi sur moi ! Personne ne se soucie de mes sentiments...» C'était du moins ce qu'il ressentait quand il était plus jeune.

Il faisait un temps magnifique mais, depuis plusieurs semaines, Kévin était maussade. Emily, qui le regardait en sirotant son soda, finit par éclater :

– Bon, c'est quoi, cette tête d'enterrement ? Qu'est-ce qui te tracasse ces temps-ci ? Tu es aussi aimable qu'une porte de prison !

Kévin se renfrogna.

– Tu ne peux pas comprendre, lui répondit-il en secouant la tête.

Emily s'adossa contre sa chaise en se croisant les bras.

– Qu'est-ce que tu en sais ? Essaie de me raconter ce qui ne va pas, et on verra bien !

Kévin prit une profonde inspiration.

– Tu connais le vieux pont métallique qui est sur la route de la rivière Wilder ? Ils vont le démolir...

Emily fronça les sourcils.

– Et alors ! On ne peut pas arrêter le progrès !

– Ouais, je sais, marmonna Kévin d'un air morose. C'est exactement ce qu'a dit oncle Jonathan.

– On dirait que ça t'angoisse vraiment, s'étonna Emily en le scrutant d'un œil perçant. Allez, explique-moi pourquoi.

Kévin regardait fixement son verre à moitié plein.

– Je t'en ai déjà parlé. Quand je suis arrivé à New Zebedee, oncle Jonathan, Mme Zimmermann et moi, on a dû combattre le fantôme d'Isaac Izard[1].

Emily jeta un coup d'œil circulaire et vit que personne n'était suffisamment près pour les entendre. Elle se pencha pour se rapprocher de Kévin et lui dit à voix basse :

---

1. Voir « Kévin et les magiciens », tome 1 : *La Pendule d'Halloween*.

– Oui, je m'en souviens. Le vieil Isaac voulait déclencher la fin du monde, mais il est mort avant d'avoir réussi son coup. Alors sa femme est sortie de sa tombe et a essayé de le faire à sa place en actionnant une super pendule magique que son mari avait cachée dans les murs de votre maison.

– Et elle a failli réussir ! dit Kévin.

En se rappelant le sinistre éclat des lunettes de Selenna Izard, il ne put s'empêcher de frissonner.

– Mais il y a un épisode que je ne t'ai jamais raconté. Un jour, en fin d'après-midi, oncle Jonathan nous a emmenés faire une longue balade en voiture, Mme Zimmermann et moi. C'était en novembre, et ils voulaient me montrer la région. Il faisait nuit lorsque nous avons pris la route du retour, et mon oncle a alors remarqué les phares d'une étrange voiture qui semblait nous poursuivre.

Emily écouta son ami lui narrer toute l'histoire. Oncle Jonathan avait vraiment eu peur et Kévin, lui, avait été littéralement terrifié. Quand il était petit, dans la voiture de ses parents, il s'imaginait souvent être pourchassé par les voitures qui les suivaient. Mais cette nuit-là, c'était pour de vrai.

La vieille Ford 1935 de son oncle fonçait dans la nuit. Jonathan avait poussé le moteur à plus de cent vingt à l'heure dans les lignes droites. Il prenait les virages sur les chapeaux de roues en faisant de dangereuses embardées qui soulevaient des jets de gravier. Ils étaient finalement arrivés à un carrefour où se croisaient trois routes. Dans le hurlement des pneus qui prenaient le virage, Kévin avait entrevu durant quelques secondes un canon de la guerre de Sécession blanchi de givre, une église en bois aux vitraux poussiéreux et une vieille boutique dont la devanture faiblement éclairée portait l'inscription SALADA. En fermant les yeux, il pouvait revoir cette scène aussi clairement qu'une photo dans un album.

Ils s'étaient alors retrouvés sur la route de la rivière Wilder avec la mystérieuse voiture à leurs trousses. Mme Zimmermann lui avait passé le bras autour des épaules en lui disant des mots rassurants, mais il sentait bien qu'elle avait peur – ce qui l'effrayait encore plus.

Ils avaient fini par apercevoir au loin la rivière et le pont qui l'enjambait – un pont métallique constitué d'une multitude de poutrelles noires entrecroisées –, et la vieille voiture l'avait traversé en trombe dans le fracas des planches tressautant sous les roues.

Assis à la petite table en face d'Emily, Kévin interrompit son récit, la gorge serrée. Le simple souvenir de cette nuit-là lui donnait la nausée. Il repoussa son verre de soda.

– Et qu'est-ce qui s'est passé ensuite ? lui demanda Emily d'une voix pressante. Continue, Kévin !

Kévin prit une profonde inspiration et reprit d'une voix tremblante :

– Oncle Jonathan s'est arrêté après le pont, et nous avons vu que la voiture fantôme s'était volatilisée.

– C'est normal, les fantômes ne peuvent pas traverser les cours d'eau ! Je l'ai lu dans *Dracula*.

– Tu veux dire les vampires, lui objecta Kévin.

– C'est la même chose, dit lentement Emily d'un air songeur. Un vampire n'est qu'une variété de fantôme qui suce le sang.

– Toujours est-il qu'elle avait disparu, et Mme Zimmermann nous a expliqué que si elle avait renoncé à nous poursuivre, ce n'était pas seulement à cause du cours d'eau. Il y avait autre chose, un truc concernant le pont.

Emily fit une sorte de crépitement en aspirant avec sa paille les dernières gouttes de son soda.

– Comment ça, concernant le pont ?

Kévin fronça les sourcils.

– Il a été construit par… par quelqu'un dont je ne me rappelle plus le nom, mais d'après Mme Zimmermann, cet homme avait mis quelque chose de spécial dans l'acier des poutrelles. Pour empêcher le fantôme d'un oncle de traverser la rivière pour venir le chercher, si je me souviens bien.

Ils gardèrent tous les deux le silence pendant un instant. Puis Emily dit doucement à Kévin :

– Ça t'inquiète drôlement, dis-moi. Tu es tout pâle !

Kévin soupira tristement.

– Je sais, tu trouves que je me fais trop de soucis sur des trucs idiots et que je me mets dans tous mes états pour rien. Mais l'idée que ce pont risque d'être détruit… je ne sais pas comment dire… me donne la chair de poule, comme s'il allait se produire une catastrophe.

– Tu en as parlé à ton oncle ? lui demanda Emily.

Kévin fit la grimace en secouant la tête.

– J'ai bien vu que l'article du journal l'inquiétait beaucoup. Je ne veux pas le harceler avec toute cette histoire puisqu'il ne peut rien faire pour l'empêcher.

Emily réfléchit quelques instants.

– Tu ne veux plus de ton soda ?

Kévin fit non de la tête.

– Alors on va aller en parler à Mme Zimmermann, dit-elle en se levant. Elle nous dira s'il y a lieu de s'alarmer et elle saura quoi faire. Et si le fantôme de l'oncle de ce M. Machinchose s'avise de traverser le nouveau pont en béton, elle lui réglera son compte !

Kévin sourit faiblement. Emily aimait énormément Mme Zimmermann. Son père, M. Pottinger, avait beau l'appeler parfois « la dingo de la ville », elle avait une confiance absolue en son jugement. Pour sa part, Kévin avait toujours considéré Mme Zimmermann comme une amie très sûre.

– D'accord, fit-il d'une petite voix. Mais j'espère que ça ne l'inquiétera pas trop.

Ils prirent la grand-rue, tournèrent dans la rue du Château et remontèrent la forte pente de la rue Haute. Au sommet de la côte, ils passèrent devant la belle et grande maison de deux étages où habitaient Kévin et son oncle. Une rambarde en fer forgé aux motifs compliqués, jalonnée de boules de métal, longeait le jardin où trônait un grand marronnier. Ce que Kévin avait préféré dans la maison de son oncle en arrivant à New Zebedee, c'était la tourelle de la façade dont le toit presque vertical comportait une petite lucarne ovale qui brillait comme un œil surveillant paisiblement les environs.

Mme Zimmermann habitait juste à côté, dans un petit pavillon confortable entouré d'un joli jardin. L'été, ses parterres de fleurs étaient couverts de pétunias, de capucines et de marguerites. De délicieux effluves s'échappaient fréquemment de chez elle et venaient chatouiller le nez des Barnavelt. Elle invitait alors tout le monde à déguster un repas savoureux, ou bien elle allait frapper à la porte de Jonathan avec un plat de succulents biscuits au chocolat ou de merveilleux gâteaux caramélisés.

Mais, ce jour-là, Kévin ne sentit rien. Emily tira la sonnette et Mme Zimmermann leur ouvrit la porte quelques instants plus tard. Elle avait été professeur – sûrement un excellent professeur – et elle était maintenant à la retraite. Son visage sillonné de rides s'éclairait très souvent d'un grand sourire, et ses yeux brillants et malicieux étaient pleins d'affection derrière ses lunettes à monture dorée. Elle adorait le violet et portait donc une blouse à fleurs violette et un foulard violet qui cachait sa tignasse de cheveux blancs. Elle parut ravie de les voir et s'écria :

– Kévin et Emily ! Quelle bonne surprise ! Entrez ! Je viens de finir mon nettoyage de printemps et vous allez m'aider à remettre les meubles en place.

Ce fut très vite fait, et elle leur servit ensuite des cookies au chocolat et un verre de lait sur la table de la cuisine.

– Bon, dit-elle de son ton brusque habituel en se versant une tasse de café, je sens bien que vous avez un gros souci tous les deux, non? Qu'est-ce qui ne va pas, Kévin? Notre vieux barbu a-t-il fait apparaître une illusion dont il ne peut plus se débarrasser?

Kévin ne put s'empêcher de sourire à cette idée. Il arrivait parfois que les illusions créées par son oncle prennent une certaine autonomie, comme le nain de la boîte à fusibles qui avait séjourné quelque temps à la cave, ou comme Jailbird, un chat du voisinage, qui sifflait encore des airs connus – mais horriblement faux [1].

– Non, répondit Kévin. Ce n'est pas ça.

– Kévin et son oncle s'inquiètent pour le vieux pont de la rivière Wilder, intervint Emily. On voudrait savoir s'il ne va rien se passer de grave quand ils vont le démolir.

L'air surpris, Mme Zimmermann se recula sur sa chaise et se croisa les bras en murmurant:

----

1. Voir « Kévin et les magiciens », tome 6 : *L'Opéra maléfique*.

– Toi au moins, Emily, tu n'y vas pas par quatre chemins !

Pour une fois, les succulents cookies de Mme Zimmermann ne semblaient pas tenter Kévin. Il repoussa son assiette en disant :

– Oncle Jonathan a eu l'air inquiet lorsqu'on a parlé du nouveau pont dans le journal le mois dernier. Et je sens qu'il se fait toujours du souci, même s'il ne m'en parle pas.

– Kévin m'a dit qu'un sorcier avait jeté un sort sur ce pont et que vous connaissiez toute l'histoire. Vous pouvez nous la raconter ?

Mme Zimmermann eut un petit rire.

– « Mets-toi à table en vitesse ! », c'est ça ? Eh bien, mes enfants, je ne sais pas grand-chose en réalité. Ce pont métallique date de... de 1892, je crois. L'homme qui l'a fait construire, Elihu Clabbernong, était très riche. Ils étaient agriculteurs de père en fils dans sa famille et ils possédaient des centaines d'hectares entre New Zebedee et Homère. Mais la rumeur disait que Jebediah, le vieil oncle d'Elihu – qui était en réalité son grand-oncle, si je me souviens bien –, était un dangereux sorcier. Il avait sa propre ferme non loin de la ville, et les gens qui passaient la nuit près de chez lui voyaient de drôles de lumières et entendaient des bruits bizarres. Toujours est-il que, quand Elihu était petit, ses deux parents sont morts dans des circonstances mystérieuses. Comme leur testament lui laissait tout, la ferme a été vendue aux enchères. L'argent a été placé jusqu'à sa majorité, et il est allé vivre avec son oncle.

Kévin sentit sa gorge se serrer.

– Je n'aime pas cette histoire, dit-il d'une voix tremblante. C'est exactement ce qui m'est arrivé !

Mme Zimmermann se pencha vers lui et lui donna une petite tape amicale sur l'épaule.

– Sauf que ton oncle à toi est quelqu'un de très bien, Kévin, même s'il joue au poker comme un pied ! Bon, où est-ce que j'en étais ? Elihu a grandi dans la ferme de Jebediah, et les gens disent que son oncle lui a enseigné la sorcellerie. Personnellement, je ne sais pas si c'est vrai. Elihu n'a jamais parlé de magie et n'a jamais fait partie de l'Association des magiciens du comté de Capharnaum. Les quelques fois où je l'ai vu, il semblait tout à fait normal – pour un homme richissime qui mène une existence recluse, j'entends.

– Vous voulez dire qu'il était une sorte d'ermite ? lui demanda Emily.

Mme Zimmermann prit un air songeur.

– On peut dire ça. Il était très secret et ne se mêlait pas des affaires des autres. Ce que je sais, en tout cas, c'est qu'une nuit de décembre 1885 à minuit, le ciel a été traversé par un météore qui a tout illuminé à des kilomètres à la ronde dans le comté de Capharnaum. Les gens ont dit qu'il était rouge sang et qu'une mystérieuse lumière avait ensuite subsisté pendant plus de dix minutes. La météorite est tombée quelque part derrière la grange de la ferme des Clabbernong en provoquant une énorme explosion qui a fait sonner les cloches des églises et brisé les vitres partout en ville. Et c'est cette même nuit, juste au moment où elle a heurté le sol, que le vieux Jebediah est mort.

Kévin sentit ses cheveux se dresser sur sa tête.

– La météorite lui est tombée dessus ? demanda-t-il.

– Non, non ! lui répondit Mme Zimmermann. Je crois que c'était une simple coïncidence. Elihu avait vingt-deux ou vingt-trois ans, et il a donc hérité de tout. Le lendemain, il a allumé chez lui un grand feu mystérieux, et les gens ont supposé qu'il avait brûlé tous les objets et les livres de magie de son oncle. Et il a fait ensuite incinérer Jebediah.

– Alors il n'est pas devenu lui-même magicien ? demanda Emily.

– Non, je ne pense pas. Peut-être se trouvait-il trop riche pour avoir besoin de magie. Il était à présent majeur et pouvait disposer de l'argent qui avait été placé pour lui. Sa fortune n'avait cessé de fructifier avec les intérêts des placements, et elle augmenta encore dans les semaines qui suivirent car il vendit presque tout, quitta la ferme familiale et s'installa en ville. Est-ce que vous devinez quelle est la seule chose qu'il ne vendit pas ?

Kévin secoua la tête.

Emily se mordit les lèvres et fronça les sourcils.

– La météorite ? finit-elle par dire.

– Bravo ! s'écria Mme Zimmermann. Tu as trouvé, Emily ! Je ne l'ai jamais vue, mais une de mes amies plus âgée m'a raconté qu'elle n'était pas plus grosse qu'une balle de base-ball et qu'elle avait des reflets de couleurs étranges, de couleurs qu'elle ne pouvait même pas décrire. Rien que la regarder la rendait nerveuse, m'a-t-elle dit. Ce n'était sans doute pas très bon non plus pour les nerfs d'Elihu car il avait beau avoir beaucoup d'argent, il était timide, crispé, et constamment sur ses gardes, comme s'il se croyait suivi. Finalement, en 1892, sept ans après la mort de son oncle, il proposa de remplacer le vieux pont en bois de la rivière Wilder par un pont métallique. Il financerait tout lui-même. Bien sûr, le comté accepta, et certains disent qu'Elihu fit fondre la météorite et la mélangea à l'acier utilisé pour la construction du pont. Toujours est-il que lorsque le nouveau pont fut terminé à l'automne suivant, Elihu parut se détendre. Il fit de gros investissements dans les banques et les affaires, devint de plus en plus riche, et vécut à New Zebedee jusqu'à sa mort – naturelle – en 1947. Aucun fantôme ne lui fit de mal, et l'on peut supposer que le pont l'avait protégé.

– Vous n'êtes donc pas inquiète ? lui demanda Emily.

Mme Zimmermann haussa les épaules en soupirant.

– Le fantôme du vieux Jebediah n'a plus personne à poursuivre car Elihu ne s'est pas marié, et la famille Clabbernong n'a aucun descendant vivant. Même si la démolition du vieux pont permettait à cet esprit maléfique de traverser la rivière Wilder, il n'aurait pas de victime à se mettre sous la dent.

– Alors, pourquoi mon oncle est-il aussi soucieux ? s'écria Kévin.

Mme Zimmermann lui sourit avec gentillesse.

– Tu sais, Kévin, peut-être que Jonathan te ressemble plus que tu ne crois ! Il n'aime pas beaucoup les changements, lui non plus, et encore moins ceux qui ont à voir avec la magie. En fait, je crois bien que, quoi qu'il en dise, ton oncle est un froussard de première !

Emily éclata de rire, et Kévin se sentit un peu soulagé.

Mais il resta préoccupé. Semaine après semaine, le mois de mars passa, puis le mois d'avril et le mois de mai. Et, loin de disparaître, son inquiétude s'intensifiait. Le 1er juin, il réalisa brusquement qu'elle était devenue une douleur torturante qu'il ne savait comment calmer.

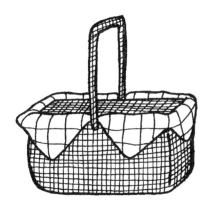

Chapitre 2

L'année scolaire se termina, mais l'anxiété de Kévin ne disparut pas pour autant. La veille des vacances, Mme Zimmermann annonça qu'elle organisait le lendemain, dans sa maison de campagne au bord du lac Lyon, un pique-nique auquel tout le monde était convié. Ce serait le premier jeudi des vacances d'été. Kévin téléphona à Emily qui fut ravie de cette invitation. L'eau était encore trop froide pour se baigner, mais ils pourraient jouer au badminton, festoyer et se détendre. Oncle Jonathan devait emmener tout le monde dans sa vieille Ford.

Le jeudi matin, le temps était chaud et ensoleillé, et le ciel limpide. Mais Kévin était toujours tenaillé par le même sentiment d'appréhension dont il ne savait comment se débarrasser. Il s'y était presque habitué, mais c'était devenu une sorte de douleur sourde qu'il aurait bien voulu voir disparaître.

Il avait enfin convaincu son oncle de ne plus lui acheter ses éternels pantalons de velours côtelé et, ce matin-là, il enfila un jean, une paire de baskets noires et un tee-shirt blanc. Jonathan Barnavelt, lui, portait sa tenue habituelle : pantalon kaki délavé, chemise bleue et gilet rouge, ainsi qu'une vieille veste de tweed élimée. Il alla chercher chez Mme Zimmermann un énorme panier de pique-nique en osier qu'il rangea dans le coffre de la voiture. Sa vieille amie le suivit, vêtue d'une robe violette et d'un chapeau de soleil à large bord, violet lui aussi.

– Alors, mon garçon ! lança-t-elle à Kévin qui lui ouvrait la portière. Quel effet ça te fait d'être libre comme l'air pour tout l'été ?

– C'est super ! répondit-il en se forçant à sourire.

Pendant qu'il montait sur le siège arrière, son oncle se mit au volant et ils démarrèrent dans un nuage de gaz d'échappement. Ils prirent la direction de la rue du Château, se garèrent devant la maison d'Emily, et la virent arriver en courant avec son jean, ses baskets et un immense tee-shirt rouge bien trop grand pour elle.

Elle s'installa à côté de Kévin, et Mme Zimmermann lui posa la même question.

– C'est génial de ne plus aller en classe! s'écriat-elle avec un grand sourire. Je n'en pouvais plus de mettre ma jupe écossaise et mon chemisier bleu!

C'était une belle matinée et Jonathan conduisait tranquillement la voiture sur la route d'Homère, l'air joyeux et détendu. Mme Zimmermann raconta ce qu'elle faisait dans son jardin cette année-là : elle avait planté de nouvelles variétés de lis et de marguerites, ainsi qu'un parterre de violettes dont elle espérait beaucoup.

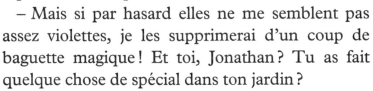

– Mais si par hasard elles ne me semblent pas assez violettes, je les supprimerai d'un coup de baguette magique! Et toi, Jonathan? Tu as fait quelque chose de spécial dans ton jardin?

– Eh bien, pour tout te dire, Florence, j'ai longtemps réfléchi à la question et j'ai pris une décision. Je vais tout le cimenter, lui dit Jonathan d'un air très sérieux, puis je le peindrai en vert et, si j'ai envie de le fleurir, j'achèterai des fleurs en

plastique, je percerai des trous dans le béton, et je les...

– Allez, arrête de plaisanter, Barbe folle ! s'exclama sa vieille amie.

Ils arrivèrent à la maison de campagne de Mme Zimmermann. Pendant qu'oncle Jonathan déchargeait le panier de pique-nique et préparait avec elle le barbecue, Kévin et Emily installèrent le filet de badminton. Ils jouèrent un moment sans compter les points, en cherchant à faire durer l'échange aussi longtemps que possible, et réussirent à se lancer le volant pendant plus de dix minutes d'affilée.

Ils passèrent ensuite au jeu du fer à cheval. Emily y jouait mieux que Kévin. En tirant un bout de langue, elle visait soigneusement le piquet de métal, puis lançait le fer à cheval qui tournoyait dans les airs avant de s'emboîter autour du piquet avec un claquement métallique ! Les tirs de Kévin, en revanche, manquaient généralement leur cible ou atterrissaient juste à côté du piquet.

– Tu vas à ton camp scout cet été ? lui demanda Emily.

Kévin haussa les épaules en ramassant le fer à cheval qu'il allait lancer.

– Je ne sais pas. On n'en a pas encore parlé, oncle Jonathan et moi.

Emily lança un fer à cheval qui atteignit sa cible et cliqueta bruyamment autour du piquet avant de retomber à sa base.

– Parfait ! s'écria-t-elle fièrement. Nous, on ne va pas partir longtemps cette année ! Mes parents veulent aller passer une semaine dans l'Upper Peninsula, mais le reste du temps, on restera dans le coin.

Kévin lança son fer à cheval et rata complètement son tir.

– Oncle Jonathan n'a pas parlé de partir en vacances. Je crois qu'il veut rester en ville, au cas où...

– Au cas où quoi ? lui demanda Emily d'un air interrogateur.

Kévin lui lança un coup d'œil, puis regarda par-dessus son épaule. Debout dans les volutes de la fumée odorante du bois d'hickory, oncle Jonathan et Mme Zimmermann s'activaient devant le barbecue près de la maison. Ils ne prêtaient aucune attention à Kévin et Emily, mais il baissa tout de même la voix.

– Tu sais bien ! chuchota-t-il à son amie. Ils ont inauguré le nouveau pont sur la rivière Wilder. Et je crois que le comté va démolir l'ancien.

Emily le regarda un instant comme s'il lui avait déclaré qu'il arrivait de la planète Mars et voulait épouser la reine d'Angleterre. Puis une lueur de compréhension surgit dans ses yeux.

– Le vieux pont métallique? s'écria-t-elle d'un air incrédule. Mon Dieu, tu te tracasses encore pour ça?

Kévin haussa les épaules d'un air abattu.

– Je ne peux pas me l'enlever de la tête.

Emily le regarda en fronçant les sourcils derrière ses lunettes rondes.

– Pourquoi tu ne m'en as pas parlé?

– Je ne voulais pas t'embêter, marmonna-t-il. De toute manière, on n'y peut rien si le comté a décidé de supprimer ce maudit pont. Oncle Jonathan n'a pas dit un seul mot sur ce sujet depuis le mois de février et Mme Zimmermann nous a assurés qu'il n'y avait pas d'inquiétude à avoir. Je sais bien que c'est idiot de ma part, mais...

Il s'interrompit, incapable d'aller au bout de sa pensée.

– Mais tu ne peux pas t'en empêcher, lui dit Emily d'un air compatissant. Bon, qu'est-ce qu'on peut faire? Il faut qu'on trouve un moyen de surveiller ce qui se passe, et comme ça on sera sûr qu'il n'y a pas de souci à se faire.

Ils en restèrent là car, un instant plus tard, oncle Jonathan les appela. Ils firent tous les quatre un merveilleux pique-nique sur l'herbe près du lac. Mme Zimmermann connaissait une mystérieuse recette qui rendait les hamburgers encore plus délicieux, et elle servit en accompagnement une salade de pommes de terre nappée d'une sauce crémeuse, ainsi que des pickles au fenouil de sa fabrication, croquants et bien assaisonnés, n'ayant rien à voir avec les pickles fades et ramollis que Jonathan achetait au supermarché. Pour la première fois depuis longtemps, Kévin mangea de bon appétit.

Après le repas, ils se mirent au travail pour faire la vaisselle et tout remettre en place, puis s'assirent autour d'une table pliante et passèrent un après-midi tranquille à jouer aux cartes. Ils firent quelques parties amusantes de variantes du poker comme le «crache-par-la-fenêtre», la «chemise de Johnny», «Jack le sournois» et «Pete aux sept orteils», et Jonathan ne cessa de perdre en rouspétant d'un air bon enfant et en affirmant qu'il préférait de loin jouer au poker normal.

– Le problème avec ces variantes, expliqua-t-il, c'est que je ne me souviens jamais de leurs règles idiotes !

– Très bien ! lui répondit Mme Zimmermann dont c'était le tour de distribuer les cartes. Nous allons simplifier le jeu. Voilà : dans cette partie, les valets, les sept et les trois rouges vont être des jokers et...

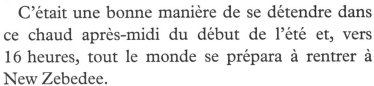

Oncle Jonathan poussa un grognement et éclata de rire.

C'était une bonne manière de se détendre dans ce chaud après-midi du début de l'été et, vers 16 heures, tout le monde se prépara à rentrer à New Zebedee.

– Et si nous allions au cinéma ce soir ? proposa Mme Zimmermann alors qu'ils rangeaient les chaises et la table pliantes dans la maison. Je crois qu'ils passent un film de pirates en ville. Si l'histoire nous plaît, Jonathan pourra recréer tous les combats avec ses illusions, et nous jouerons à tour de rôle le personnage du capitaine !

Ils sortirent de la maison et Mme Zimmermann ferma la porte à clé.

L'idée d'aller au cinéma plaisait beaucoup à Kévin mais, avant qu'il puisse dire le moindre mot, Emily demanda :

– On ne pourrait pas passer voir le nouveau pont sur la rivière Wilder en rentrant à New Zebedee ?

Mme Zimmermann lui jeta un regard perçant et oncle Jonathan, qui rangeait le panier dans la malle de sa vieille voiture, se figea sur place. Puis il se retourna lentement.

– Quelle drôle d'idée, Emily ! Qu'est-ce qui t'a mis ça en tête ?

Avec un sourire innocent, elle lui répondit :

– Je suis curieuse de voir à quoi ressemble ce nouveau pont, c'est tout. Et je me demande s'ils ont démonté l'ancien.

Oncle Jonathan échangea un regard avec Mme Zimmermann. Un drôle de regard, pensa Kévin, comme si son oncle lui posait une question sans la formuler à voix haute. Mme Zimmermann lui répondit par un signe de tête imperceptible, en se contentant de baisser rapidement le menton.

ROUTE N°12

– D'accord, pourquoi pas ? dit Jonathan d'une voix cordiale. Nous allons prendre la route n° 12 qui rejoint celle de la rivière Wilder. Cela fait longtemps que je ne suis pas passé par là. Et nous verrons où en est la construction.

Kévin ouvrit la portière à Emily et, au moment où elle allait monter dans la voiture, il lui murmura :

– Qu'est-ce qui t'a pris ?

– On va juste jeter un coup d'œil ! lui répondit Emily à voix basse. On surveillera ton oncle et

Mme Zimmermann et, s'il y a la moindre chose qui cloche, on le verra à leur tête !

Kévin avala sa salive et monta sur la banquette arrière à côté de son amie. Peut-être valait-il mieux savoir la vérité que rester dans les affres de l'incertitude... La voiture démarra et, quelques instants plus tard, Jonathan prit une petite route de campagne. Elle n'était même pas goudronnée, mais seulement recouverte de gravillons qui craquaient et sautaient sous les gros pneus de la vieille voiture.

– Je croyais que nous devions prendre la route n° 12 ? s'étonna Mme Zimmermann.

– C'est un raccourci, répondit Jonathan.

Pendant quelques minutes, la voiture roula lentement sur le gravier. Kévin contemplait par la vitre le paysage qui était plutôt sauvage avec ses prés incultes, ses bois truffés d'épais buissons épineux et ses vieilles fermes abandonnées. Jonathan conduisait maintenant la voiture au ralenti.

– Regardez, on dirait qu'il y a eu un feu de forêt ! s'exclama Emily.

Le cœur de Kévin se mit à battre. Sur leur droite, un ou deux hectares de terrain étaient dévastés. L'écorce s'effritait sur le tronc des arbres dénudés. Leurs branches tendues vers le ciel semblaient hurler de désespoir, comme s'ils avaient tenté de s'échapper avant de mourir. Par terre, l'herbe était grise et desséchée. Au centre de ce paysage désolé se dressait une ferme en ruine qui n'avait pourtant pas l'air d'avoir brûlé. Son toit de tôles rouillées s'était effondré, et ses fenêtres béantes ressemblaient aux orbites vides d'un crâne. L'endroit dégageait une odeur répugnante de pourriture douceâtre associée à de forts relents de moisi. Kévin fronça le nez, et toutes les fibres de son corps comprirent qu'une force maléfique avait ravagé les lieux.

– Tu ne pourrais pas rouler un peu plus vite, Jonathan ? s'écria Mme Zimmermann d'un air agacé.

Jonathan appuya sur l'accélérateur et la voiture s'éloigna de la ferme en ruine. Les arbres eurent à nouveau des feuilles et, bientôt, le paysage redevint normal. Désert, mais normal. Et la piste rejoignit la route n° 12 qui, elle, était asphaltée. Quelques instants plus tard, ils arrivèrent au carrefour que Kévin revoyait encore parfois dans ses cauchemars. Un canon rouillé de la guerre de Sécession se dressait sur une pelouse triangulaire, et une vieille église campagnarde aux vitraux poussiéreux faisait face à une boutique dont la vitrine portait l'inscription SALADA peinte en vert. C'était le fameux carrefour où, quand Kévin n'avait que dix ans, Jonathan avait pris un virage sur les chapeaux de roues, la nuit où le fantôme de Mme Izard les avait poursuivis dans une course folle.

La voiture roulait maintenant sur la route de la rivière Wilder et, sans dire un mot, ses passagers la regardaient serpenter à travers les collines et les fermes en direction de New Zebedee. En arrivant au sommet d'une grande montée, Kévin vit soudain tout en bas la rivière qui coulait paisiblement dans la chaude lumière de l'après-midi. À gauche, le vieux pont métallique l'enjambait toujours. De chaque côté, la route avait été fermée sur quelques centaines de mètres et, pour remplacer ce tronçon, on avait fait une déviation dont l'asphalte noir luisait au soleil et qui traversait la rivière juste en face d'eux sur un pont moderne en béton. Il était plus de 17 heures et les ouvriers avaient fini leur journée, mais leur matériel et leurs engins de chantier – des grues, de gros bulldozers jaunes, etc. – étaient encore là. Jonathan roula doucement sur le pont tout neuf et se gara sur le bas-côté.

Ils sortirent de la voiture et firent quelques pas au bord de la route. Kévin marcha jusqu'à l'entrée de l'ancien pont et vit que les ouvriers avaient déjà enlevé les madriers posés sur la vieille structure métallique. Des poutrelles, qui avaient également été retirées, étaient empilées en vrac sur le côté. Kévin baissa les yeux et regarda l'eau couler doucement en contrebas. La dénivellation ne dépassait pas trois mètres, mais il eut brusquement le vertige et la nausée, comme s'il était au bord d'une haute falaise. Tout se mit à tourner autour de lui. Il recula de quelques pas et sentit soudain quelque chose de dur sous sa chaussure.

Il leva le pied et vit qu'il avait marché sur un rivet métallique d'une dizaine de centimètres. L'objet avait dû tomber de l'une des poutrelles démontées par les ouvriers. Machinalement, il le ramassa. Le métal lui parut étrangement lourd et chaud dans sa main. Sa chaleur n'était pas celle d'un bout de ferraille laissé au soleil, pas exactement. D'une certaine manière – et Kévin aurait été bien en peine de dire comment –, ce morceau de métal lui semblait presque vivant, comme s'il produisait sa propre chaleur. Kévin le tourna sur toutes ses faces en l'observant attentivement dans la lumière déclinante de cette fin d'après-midi. Sa surface luisante n'avait pas la moindre trace de rouille. Il paraissait incroyable qu'il ait fait partie du pont pendant plus de soixante ans. Il ne présentait aucune corrosion, comme s'il avait été forgé le matin même.

Kévin releva la tête. Emily venait de lui dire quelque chose. Il mit rapidement dans sa poche le rivet qu'il trouva lourd, mais rassurant.

– Quoi ? cria-t-il.

Le regard d'Emily n'était pas dirigé vers lui. Elle regardait les deux adultes qui étaient à quelques mètres et lui jeta un coup d'œil en remontant ses lunettes sur son nez.

– Je disais que ça n'a pas l'air trop dramatique.

– Ouais ! dit Kévin. Ça a l'air d'aller.

Oncle Jonathan et Mme Zimmermann discutaient à voix basse un peu plus loin et il n'entendait pas ce qu'ils se disaient. Finalement, oncle Jonathan approuva de la tête, et il se tourna vers eux en souriant :

– Je crois que je remporte haut la main le grand prix de l'inquiétude, les enfants ! Cette vieille sorcière m'assure qu'elle ne sent absolument rien d'alarmant ici. Et si Florence ne sent rien, c'est qu'il n'y a rien ! Je suis désolé de t'avoir inquiété inutilement, Kévin ! Ce projet de démolition du vieux pont m'a beaucoup tracassé alors que, visiblement, mon appréhension n'était pas fondée. Nous allons garder un œil dessus, au cas où, mais je fais confiance au flair du Vieux Pruneau !

Les choses auraient pu en rester là. Ils rentrèrent à New Zebedee, allèrent au cinéma et déposèrent Emily chez elle. Il était presque 22 heures quand Kévin se mit au lit, très fatigué. Il sortit le rivet de sa poche et le posa sur sa table de nuit à côté du réveil et de la lampe de chevet. Puis il éteignit la lumière et se glissa entre les draps.

Pendant quelques instants, il resta allongé dans le noir, les yeux fermés, et repensa au film. Il s'imaginait à bord du bateau des pirates, grimpant dans les haubans jusqu'à la grande hune, se battant férocement en duel au sabre d'abordage le long d'une vergue, plongeant sa lame dans la grand-voile, sautant en se tenant à la poignée du sabre qui fendait la toile jusqu'en bas, et retombant fièrement sur le pont. Il pouvait presque entendre le cliquetis de l'acier et les tirs de canon, et même sentir l'odeur de poudre de la fumée.

Un énorme bâillement interrompit le cours de ses pensées. Il ouvrit les yeux et tourna la tête vers les aiguilles lumineuses de son réveil pour voir l'heure. Soudain, le souffle coupé, il s'assit dans son lit.

Le rivet brillait dans l'obscurité. Des lueurs colorées miroitaient et ondulaient sur le métal, un peu comme les reflets irisés que provoque une goutte de pétrole versée sur du béton humide. Kévin avait appris un drôle de nom pour mémoriser les couleurs de l'arc-en-ciel : Roj V. Biv. Ce moyen mnémotechnique lui permettait de ne pas les oublier : rouge, orange, jaune, vert, bleu, indigo, violet.

Toutes ces couleurs chatoyaient sur le rivet, mais aussi d'autres qu'il ne pouvait identifier. Des reflets qui semblaient venir d'un autre monde et qui luisaient doucement dans le noir à côté de son lit.

Chapitre 3

Cette nuit-là, Kévin fit un horrible rêve, le premier d'une longue série de cauchemars. Mme Zimmermann, Emily, oncle Jonathan et lui étaient dans un zoo. Ce zoo ne ressemblait à aucun de ceux qu'il avait visités. Les cages immenses étaient de grandes structures aux barreaux noirs si serrés qu'on avait du mal à voir les animaux qui marchaient nerveusement de long en large.

Kévin avait une affreuse impression de déjà-vu. Il lui semblait que tout cela s'était déjà produit et qu'il savait exactement ce qui allait se passer ensuite. Ils avançaient lentement entre deux énormes cages dont l'une contenait un troupeau d'éléphants qui piétinaient lourdement le sol, et l'autre une douzaine de grandes girafes à taches brunes. Kévin était sûr que Mme Zimmermann allait dire : «Je préférerais qu'on voie mieux les animaux et moins les cages.» Un sentiment oppressant l'envahit : si Mme Zimmermann prononçait ces mots, il allait se passer quelque chose d'atroce. Kévin se tourna pour lui demander de se taire.

Trop tard. Serrant son châle plus étroitement sur ses épaules, elle disait :

– Je préférerais qu'on voie mieux les animaux et moins les cages.

Ces mots résonnèrent dans le cerveau de Kévin. Il sentait qu'un terrible sort les attendait tous les quatre. Des barrissements, des grognements, des rugissements et des hurlements retentirent dans les cages. Cet endroit est horrible, se dit-il avec désespoir.

Brusquement, ils se retrouvèrent tous dans un train miniature. Une petite locomotive noire fumait et soufflait à l'avant, et les wagonnets avançaient bruyamment le long d'une voie étroite. Kévin et Emily se trouvaient dans celui de tête, et oncle Jonathan et Mme Zimmermann étaient derrière eux. Une barre de sécurité rabattue devant eux les maintenait en place. Le chauffeur était un homme grand et maigre, tout en coudes et en genoux. Il était en bleu de travail, mais au lieu de la casquette habituelle des conducteurs de train, il portait un haut-de-forme de soie luisante d'un noir si intense que ses reflets paraissaient bleu nuit. Il actionnait le sifflet du train avec enthousiasme, mais ce son n'avait rien de joyeux. Ces longs et lugubres *whou-ou-ou-ou* évoquaient à Kévin des cimetières isolés peuplés de hiboux hululant par des nuits sans lune. Devant eux se profila la sombre entrée d'un tunnel.

– Je n'aime pas les tunnels ! cria Emily.

Kévin se souvint qu'Emily était claustrophobe. Les lieux clos lui faisaient peur, et dès que l'espace était restreint, elle était terrifiée et ne pouvait plus respirer.

Le petit train se rua sous la voûte sombre et descendit à toute allure une pente très raide. Kévin sentit que la vitesse lui coupait le souffle, et il entendit Emily pousser un hurlement de panique. Le vent sifflait contre ses oreilles. Il lui semblait qu'ils avaient maintenant dépassé les limites du monde et tombaient dans l'espace pour l'éternité.

Les yeux fermés, Kévin s'agrippait à la barre de sécurité. Soudain, il entendit un *whoush* et rouvrit les yeux. Le train venait d'émerger du tunnel.

Les rails couraient à présent entre deux rangées de saules dont les branches leur effleuraient les cheveux. Kévin avait une forte impression de vitesse, alors que les wagonnets roulaient doucement, à dix ou vingt kilomètres à l'heure. Il jeta un coup d'œil à Emily et vit qu'elle était verte de peur. Il savait, *il savait* qu'elle allait lui demander si c'était fini.

Elle le regarda.

– C'est fini, Kévin ?

– Je ne crois pas, lui répondit-il tristement.

Comme des rideaux de théâtre s'ouvrant pour dévoiler la scène, les saules s'écartèrent. Devant la locomotive surgit une cage immense, une monstruosité de métal qui se dressait jusqu'aux nuages, bien plus haute qu'un gratte-ciel. Quelque chose de lent bougeait derrière les barreaux noirs, quelque chose de sombre et d'énorme. Le train ralentit, puis s'arrêta. Kévin vit la voie ferrée s'interrompre dans l'herbe, comme si elle n'avait jamais été terminée.

Soudain, le conducteur de la locomotive se retourna. Kévin entendit les hoquets de surprise de son oncle et de Mme Zimmermann. Emily poussa un cri d'horreur.

Le conducteur était un squelette à tête de mort. Il souriait et les salua très poliment en soulevant son haut-de-forme au-dessus de son crâne lisse comme de l'ivoire.

– Terminus ! cria-t-il d'une voix stridente. Terminus et pause-repas !

Il disparut. Kévin et Emily voulurent sortir du train, mais les barres de sécurité les maintenaient à leur place. Devant eux, la cage se mit à osciller, et ses barreaux métalliques grincèrent et gémirent. À l'intérieur, la masse sombre et informe les fixait de son œil jaune. Tel un chien affamé, elle grognait et reniflait horriblement. Puis un long tentacule lisse et visqueux s'enroula autour d'un barreau et le secoua.

Comme un château de cartes, la cage s'effondra. Les énormes poutrelles de quinze mètres de long s'écroulaient en cachant le soleil. Kévin leva les yeux et vit qu'elles allaient tomber sur lui et l'écraser sous leur poids...

En poussant un hurlement, Kévin se retrouva assis dans son lit. Il suffoquait. Pendant quelques instants, il se demanda qui il était et où il était. Puis il réalisa qu'il était dans sa chambre, sain et sauf, et qu'il venait de faire un cauchemar. Il tourna craintivement les yeux vers sa table de chevet, mais le rivet ne brillait plus de ces couleurs indéfinissables. Il ne vit que les aiguilles phosphorescentes de son réveil qui indiquaient 4 h 30.

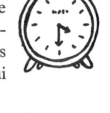

Il resta immobile un moment, laissant son cœur retrouver son rythme normal. Sa gorge et sa bouche étaient sèches comme s'il venait de traverser un désert. Il avait besoin de boire un verre d'eau.

Il alluma sa lampe de chevet, se glissa hors du lit et marcha pieds nus jusqu'à la salle de bains. Malheureusement, le distributeur de verres en carton était vide. Il fallait qu'il descende au rez-de-chaussée.

Il n'avait aucune raison d'avoir peur. La maison de son oncle était un peu bizarre avec ses touches de magie ici et là, mais il savait qu'elle ne contenait rien qui puisse lui faire du mal. Il rassembla tout son courage et se dirigea vers l'escalier du fond du couloir, celui qui avait l'étrange petit vitrail ovale. Jonathan avait un jour testé une formule magique sur cette fenêtre et le sort ne s'était jamais rompu, si bien que la scène colorée changeait de temps à autre. Au début, quand Kévin était arrivé chez son oncle, elle montrait un soleil rouge sang se couchant dans une mer bleu foncé – le bleu des vieux flacons pharmaceutiques. Mais elle avait varié de nombreuses fois au cours des années suivantes. Kévin y jeta un coup d'œil en passant sur le palier et se figea sur place. Le vitrail était rouge, d'un rouge sang éclatant qui irradiait sa propre lumière. Et en travers, en lettres majuscules jaunes, il y avait le simple mot

CAVE

comme s'il s'agissait de l'enseigne d'un bar ou d'un pub.

Perplexe, Kévin se demanda ce que cela signifiait. Le sortilège commence peut-être à divaguer, pensa-t-il en descendant les dernières marches. Il se dirigeait vers la cuisine lorsqu'un léger bruit de voix l'arrêta. Mme Zimmermann et son oncle discutaient tranquillement dans le bureau. Qu'est-ce qui avait bien pu amener leur voisine à venir chez eux de si bonne heure ?

Sans faire de bruit, en marchant sur la pointe des pieds, Kévin s'approcha de la porte du bureau. Elle était entrouverte et il entendit clairement Mme Zimmermann dire d'une voix lasse :

– D'accord, Jonathan. Nous allons garder un œil sur ce pont. Cela dit, je pense que le fantôme qui pourchassait le vieil Elihu est rentré chez lui depuis longtemps ! Je n'ai rien ressenti quand nous sommes allés près du pont et j'ai ensuite consulté ma boule de cristal et n'y ai rien vu. Mais je te connais trop pour ne pas te prendre au sérieux si le vieux pont t'a vraiment fait une sale impression.

Kévin entendit son oncle pousser un long soupir.

– Ce n'est pas exactement ça, Florence. Je ne sais pas... C'est sans doute lié à l'histoire du couple Izard. J'ai passé près de dix ans à chercher comment neutraliser la machination de ces vieux toqués. La nuit de la poursuite sur la route de la rivière Wilder a été l'une des pires de ma vie. N'empêche que, pour le dire à la manière de ce vieux Shakespeare, j'ai les pouces qui me picotent. Tu te souviens, c'est dans *Macbeth* ?

Prenant une voix de circonstance, Mme Zimmermann récita :

– «Au picotement de mes pouces, je sens qu'un maudit vient par ici.»

– Exactement, répondit Jonathan. C'est tout à fait ça. Et tu sais, bien sûr, pourquoi j'ai fait ce petit détour en allant au pont ?

– Évidemment que je le sais, répondit Mme Zimmermann d'un ton légèrement acerbe. Pour jeter un œil à la ferme du vieux Jebediah. Tu as vu, elle est toujours dans le même état ! Et si je peux me permettre, Jonathan, ce n'était pas une de tes meilleures idées ! Nous aurions très bien pu aller sur place tous les deux, mais y amener Kévin et Emily... Enfin, je suis contente qu'il ne soit rien arrivé.

Jonathan garda le silence pendant quelques secondes. Puis Kévin l'entendit demander :

– Tu as déjà été te promener autour de cette ferme, Florence ? Tu as touché un des arbres morts ?

– Berk ! s'écria Mme Zimmermann – et Kévin se représenta parfaitement son frisson de dégoût. Non, merci ! Autant plonger la main dans un seau grouillant de limaces visqueuses !

– Eh bien moi, je l'ai fait, dit Jonathan. Et, pour tout te dire, je préfère aussi les limaces ! C'était il y a plus de vingt ans, avant la Seconde Guerre mondiale. J'ai exploré les lieux et je peux te dire que tout est mort là-bas. Quand on marche sur l'herbe sèche, elle crisse et tombe en poussière sous les pieds. Et quand on appuie la main sur un de ces troncs d'arbre, elle s'enfonce. La texture n'est plus compacte comme celle du bois, mais friable comme un vieux nid de frelons.

– Un nid vide, j'espère ? lança Mme Zimmermann.

Jonathan eut un petit rire qui manquait de conviction.

– En tout cas, je n'ai pas été piqué. Je ne plaisante pas, Florence. J'aurais pu passer la main à travers si j'avais voulu. Tu ne trouves pas bizarre qu'après toutes ces années, aucun d'eux ne soit tombé ? Normalement, le premier coup de vent aurait dû les réduire en miettes, non ?

– Rien que d'y penser, j'ai la chair de poule, répondit Mme Zimmermann. Et qu'est-ce qui s'est passé ensuite ?

– En fait, j'ai eu très peur, reconnut oncle Jonathan, tellement peur que je me suis enfui en courant et que je n'y ai jamais remis les pieds. C'est un endroit sinistre, Florence. On dirait que la moindre étincelle de vie a été retirée de cette ferme !

Il baissa la voix.

– Et je ne t'ai pas raconté le pire...

Kévin entendit Mme Zimmermann prendre une profonde inspiration.

– Bon ! dit-elle d'une voix ferme. Raconte-moi tout. C'était quoi ?

– Je crois que c'était une marmotte, lui expliqua Jonathan d'une voix tremblante. Ou un animal de la taille d'un petit chien qui creuserait des terriers. Il était à moitié sorti de son trou. Il n'avait plus de fourrure et sa peau était toute ratatinée, grise comme un nid de guêpes desséché. On aurait dit qu'il était dans cette position depuis la nuit où la météorite était tombée derrière la ferme, en 1885.

– Et je suppose qu'il était dans le même état que les arbres, dit Mme Zimmermann. Je veux dire, en très mauvais état ?

– Pire que ça, marmonna oncle Jonathan à voix si basse que Kévin dut approcher l'oreille de l'entrebâillement de la porte pour l'entendre.

Il était maintenant si près qu'il pouvait sentir l'odeur du café.

– Je ne voulais pas toucher ce... cette chose, pas après l'affreuse impression que m'avait fait l'arbre. Je suis allé chercher une branche suffisamment solide dans les parages et je suis revenu. Je l'ai appuyée sur son dos, et elle s'y est enfoncée avec un horrible craquement.

– Berk! cria Mme Zimmermann. Je crois que je ne vais pas pouvoir finir mon café! Ce n'est pas plus mal, remarque, parce que cette image va sûrement m'empêcher de dormir cette nuit!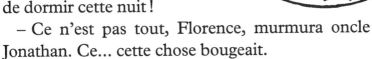

– Ce n'est pas tout, Florence, murmura oncle Jonathan. Ce... cette chose bougeait.

Kévin dut poser la main sur le mur pour ne pas tomber. L'odeur du café lui parut soudain très forte, si forte qu'il eut un haut-le-cœur.

– Mon Dieu, c'est atroce! s'exclama Mme Zimmermann d'une voix étranglée. Tu ne m'en as jamais parlé, Jonathan!

– Depuis ce jour, ce souvenir a hanté tous mes cauchemars. Je ne t'ai rien dit pour ne pas t'inquiéter mais, aujourd'hui, il fallait que je t'en parle. Cette pauvre créature essayait de sortir de son trou, Florence! Elle faisait un horrible sifflement – en essayant de respirer, je suppose. Ses deux pattes de devant se sont cassées net quand elle a essayé de se hisser à l'extérieur. Son corps se désintégrait et je... je l'ai pulvérisée. Je me suis servi de la branche pour la réduire en poudre.

Jonathan, qui avait fait son récit d'une voix haletante, poussa un profond soupir avant de poursuivre:

– J'ai mis un terme à sa souffrance. Du moins, je l'espère, car je ne supporterais pas de penser que le vilain tas de poudre grise que j'ai laissé derrière moi puisse garder en lui la moindre trace de vie.

Mme Zimmermann soupira à son tour.

– Je te comprends, dit-elle à voix basse. Très bien. Nous allons mobiliser tous les membres de l'Association des magiciens du comté de Capharnaum, et nous surveillerons tout ! Nous ouvrirons tout grands nos yeux et nos oreilles, et rien ne pourra nous échapper.

– Je crois qu'on devrait surtout les surveiller eux, si tu veux mon avis. Je n'ai pas confiance dans ces deux-là depuis que toute cette histoire de pont a commencé. Si quelqu'un manigance un truc diabolique, ce sera sûrement eux, tu verras !

Atterré, Kévin sentit son cœur se serrer. Son oncle voulait-il parler d'Emily et de lui ? Plus il y pensait, plus il en était sûr. Brusquement, il se rappela toutes les fois où il avait désobéi à son oncle, toutes les circonstances où son imprudence les avait tous mis en danger. La mort dans l'âme, il remonta l'escalier sans faire de bruit, se sentant plus seul qu'il ne l'avait jamais été dans sa vie. Il s'arrêta à la salle de bains et but un peu d'eau au robinet en penchant la tête sur le côté. Puis il alla tristement se recoucher.

Qu'allait-il se passer si son oncle n'avait plus confiance en lui ? Peut-être le mettrait-il en pension ! Kévin connaissait un garçon qui avait tellement posé de problèmes à ses parents qu'ils l'avaient expédié dans une école militaire. Et si son oncle faisait la même chose pour lui ? Comment pourrait-il vivre sans l'amitié d'Emily, la gentillesse et la sollicitude de Mme Zimmermann, et l'indéfectible bonne humeur de Jonathan ?

Recroquevillé sous les draps, Kévin se sentait désespéré. Et, soudain, une pensée lui traversa l'esprit, une pensée qui l'inquiéta encore plus.

CAVE, avait dit le vitrail. Kévin avait étudié le latin à l'école, et il savait parfaitement que *cave* était aussi un verbe latin qui n'avait rien à voir avec les bars et les pubs.

En latin, ce mot était un avertissement.

Il voulait dire...

PRENDS GARDE !

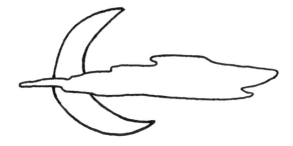

Chapitre 4

Au moment même où Kévin écoutait derrière la porte, un autre couple avait une conversation animée non loin de New Zebedee. Comme oncle Jonathan, la femme avait garé sa voiture, une vieille Buick toute cabossée, au bord de la route près du vieux pont métallique. Elle avait ouvert la portière et, en sortant, elle avait bien regardé dans les deux sens s'il venait quelqu'un. Mais, à cette heure très matinale, il n'y avait aucune circulation et pas de lumière dans les fermes alentour. À l'est, l'horizon était encore sombre, sans le moindre signe précurseur de l'aube.

Tout était silencieux. On n'entendait que les lointains hurlements d'un chien de ferme. Les pâles rayons du croissant de lune, bas sur l'horizon, éclairaient le contour des choses et faisaient luire les ailes et le capot de la vieille voiture.

La femme contourna la Buick pour aider son passager, un vieil homme tremblotant, à s'extraire de son siège. Ils semblaient avoir à peu près le même âge – pas loin de quatre-vingts ans –, mais elle était plus grande que lui et paraissait beaucoup plus alerte. Ses cheveux blancs luisants étaient ramenés sur la nuque dans un chignon serré et, malgré la tiédeur de la nuit, elle portait un long manteau sombre, boutonné jusqu'au menton, qui lui descendait aux chevilles. L'homme qu'elle aidait à sortir de la voiture était chauve et tout voûté. Ses gestes étaient très lents et il avait l'air grognon. Il portait un costume noir et une chemise blanche dont le col était ouvert.

– Je peux me débrouiller tout seul, grommela-t-il en tapant sur les mains de la femme. Va ouvrir le coffre !

Il se mit debout et chancela sur l'herbe du bas-côté, hochant sa tête lisse comme un œuf et prenant appui sur sa canne.

– Essaie de ne pas tomber, vieux fou, lança la femme d'une voix acerbe. Tu ne vas pas te rompre le cou maintenant! Pas quand le moment est si proche!

Le vieil homme redressa brusquement le dos et agita sa canne vers elle en grommelant. Puis il boitilla jusqu'à l'arrière de la voiture et la regarda ouvrir le coffre. Elle en sortit un objet long et tubulaire qui, dans l'obscurité, ressemblait à ces tubes en carton sur lesquels on enroule les tapis. Elle le posa précautionneusement par terre et attrapa un lourd trépied en bois.

– Où veux-tu que je l'installe? lui demanda-t-elle.

L'homme agita sa canne dans tous les sens.

– N'importe où! N'importe où! Nous connaissons l'altitude et l'azimut, donc ça ne pose pas de problème. Trouve simplement un endroit bien plat. Allez, dépêche-toi!

La femme mit le trépied sous son bras et se dirigea vers le vieux pont. La route avait été déviée, mais les ouvriers avaient laissé une petite bande goudronnée sur le tracé initial. Elle y installa le trépied qui s'ouvrit en claquant, et elle tendit soigneusement les pieds sous le support.

Quand il fut bien calé, elle revint chercher le tube. Le vieil homme la suivait dans ces allers-retours en ne cessant de geindre et de bougonner. Sans se presser, avec des gestes lents et pleins d'as-

surance, elle fixa le tube sur le support comme si elle l'avait fait des centaines de fois. Puis, en manipulant des boutons chromés, elle le dirigea vers le ciel, et il apparut alors clairement qu'il s'agissait d'un télescope réfléchissant, de ceux qui sont munis d'un miroir, et non d'une lentille, pour grossir l'image.

En fredonnant lentement un vieil air triste, la femme mit en place un oculaire et prit dans la poche de son manteau une minuscule torche électrique qu'elle alluma. Elle émettait une faible lumière rouge qui lui permit de régler le trépied, puis le télescope en utilisant le compas et les deux bagues graduées du support. Au bout d'un moment, la femme parut satisfaite de son réglage. Elle éteignit la petite torche et la remit dans sa poche. Puis elle poussa un bouton sur le support du télescope et un mouvement d'horloge se mit en marche.

– Je crois que c'est bon, dit-elle.

Et sur un ton sarcastique, elle ajouta :

– Tu veux que je vérifie ce qu'on voit ou tu préfères avoir la primeur, ô grand seigneur et maître ?

– Tais-toi, tais-toi, lança le vieil homme d'un ton hargneux, la voix tremblante de colère. C'est moi qui vais regarder en premier ! Tu n'y comprends rien !

La femme haussa les épaules sans répondre. L'homme boitilla jusqu'au télescope et, en veillant à ne pas toucher le tube, il regarda dans l'oculaire. En marmonnant, il tourna une molette pour faire la mise au point et se mit aussitôt à glousser de plaisir.

– Je la vois ! s'écria-t-il. Je la vois ! Elle est magnifique ! Une petite étoile rouge avec une longue chevelure ! Et parfaitement cadrée, avec ça ! Bravo, ma chère ! Tu te rends compte ! La dernière fois qu'elle s'est approchée de la Terre, les habitants de l'Atlantide tremblaient de peur sous sa lumière ! Quatorze mille ans se sont écoulés, et voilà qu'elle revient, notre Étoile rouge !

– C'est une comète, vieux fou ! répliqua la femme. Alors, je peux regarder ?

Le vieil homme recula de quelques pas.

– Certainement, ma chère Hermine. Regarde-la autant que tu veux !

Pendant qu'elle s'approchait du télescope, il leva la tête vers le ciel nocturne.

– Elle n'est pas encore visible à l'œil nu, dit-il, mais elle se rapproche de plus en plus. Bientôt, elle resplendira dans le ciel ! Et notre heure viendra enfin !

Cette idée sembla l'émouvoir et il fut secoué d'un sanglot.

La femme avait l'œil collé à l'oculaire. Il sortit un mouchoir chiffonné de la poche de son pantalon et clopina vers le vieux pont en s'essuyant les yeux et en se mouchant. Il s'arrêta au bord du talus et regarda fixement un tourbillon d'eau noire. On ne voyait rien d'autre que le reflet ondulant du croissant de lune. Soudain, la surface de l'eau s'anima d'un bouillonnement phosphorescent d'écume et de bulles gargouillantes. Le vieil homme éclata de rire.

– C'est pour bientôt, mon mignon, pour très bientôt ! Encore un peu de patience, et tu pourras enfin exécuter les ordres du grand Méphisto-phélès ! Et tous les imbéciles qui peuplent le monde s'inclineront et ramperont devant moi !

Le bouillonnement se calma et une épouvantable puanteur se répandit, une odeur écœurante et dou-ceâtre de chair pourrie et de moisi. Mais à voir comme le vieil homme gloussait et gambadait, on aurait pu croire que c'était le doux parfum d'un parterre de roses.

Le matin suivant son horrible cauchemar, Kévin alla à la messe avec son oncle. L'église St. George était une petite construction de pierre avec de grands vitraux représentant le chemin de croix. Son prêtre, le père Michael Francis, était un homme petit et mince avec de grandes lunettes rondes qui parlait d'une voix calme et douce et ne perdait jamais sa bonne humeur. Kévin trouvait habituellement un réconfort dans le rituel de la messe mais, ce dimanche-là, assis à côté de son oncle, il était torturé par l'idée que Jonathan ne lui fasse plus vraiment confiance. Avant de sortir de l'église, il s'arrêta pour dire une courte prière – un *Ave* – et pour allumer deux cierges pour les âmes de ses parents. Et dans la vieille Ford, pendant le trajet du retour, il décida de tout faire pour prouver à son oncle qu'il était digne de sa confiance.

Le reste de la journée s'écoula normalement. Le lundi, Kévin raconta à Emily qu'il avait peur que son oncle ne soit fâché contre lui, mais sans lui expliquer clairement pourquoi. Il se sentait déjà assez mal lui-même et n'avait pas envie de plonger son amie dans l'incertitude et de lui faire de la peine.

Emily comprit malgré tout qu'il fallait faire quelque chose.

– On pourrait commencer par se renseigner sur cette météorite qui s'est écrasée en 1885 derrière la ferme des Clabbernong. Dans une petite ville comme New Zebedee, je suis sûre qu'un événement pareil a fait la une du journal. Allez viens !

Kévin l'accompagna à la bibliothèque et ils descendirent au sous-sol où étaient conservés les vieux numéros du *New Zebedee Chronicle*. Les journaux avaient été reliés en énormes volumes dont les couvertures marron usées portaient des chiffres dorés presque effacés et très difficiles à lire. Certaines années manquaient, notamment celles de l'époque de la guerre de Sécession, de 1861 à 1865. Mais les deux volumes de l'année 1885 étaient sur l'étagère, et ils prirent le second qui allait de juillet à décembre.

– Mme Zimmermann a dit qu'elle était tombée en décembre, déclara Emily en tournant précautionneusement les pages jaunies.

Une fine poussière se souleva et son odeur de sauge chatouilla les narines de Kévin.

Ces journaux anciens ne contenaient pas de photographies, mais de simples gravures dont beaucoup étaient des réclames vantant de nouveaux outils agricoles ou des poêles à pétrole. Emily chercha les numéros du mois de décembre et ils se mirent à les feuilleter en cherchant des informations sur la chute de la météorite.

Soudain, dans celui du 22 décembre, un article en première page leur sauta aux yeux. Ils se penchèrent et rapprochèrent leurs têtes pour le lire :

UNE ÉTONNANTE VISITEUSE DE L'ESPACE !

Diane, la déesse de la lune, a dû être scandalisée à minuit la nuit dernière ! Une étoile filante venant des profondeurs de l'espace a fendu les cieux, ternissant son éclat et envoyant sans aucun doute la jeune déesse bouder dans ses appartements.

Les habitants de New Zebedee, d'Eldridge Corners, de Homère et des hameaux environnants du comté de Capharnaum ont été brutalement réveillés à minuit pile par un énorme vrombissement.

Le sergent James Andrews de New Zebedee, dont l'œil vigilant était précisément orienté dans la bonne direction, a rapporté que le coupable était une météorite « aussi grosse qu'une maison». Dans un grondement assourdissant, elle a décrit une courbe dans le ciel nocturne qui était particulièrement clair cette nuit, en irradiant une incroyable lumière rouge, si éblouissante que, d'après le sergent, «tout semblait éclaboussé de sang».

Le vacarme a été tel que certains ont sauté du lit pour prier, persuadés que la trompette du Jugement dernier avait sonné et que la fin du monde était imminente. Les vibrations provoquées par la météorite ont secoué les clochers des églises de New Zebedee, si bien que toutes les cloches se sont mises à sonner. Une quarantaine de citoyens se sont plaints que leurs vitres avaient été fêlées ou brisées, et de nombreuses vitrines de magasins ont volé en éclats. Comme toujours, le *Chronicle* préfère voir le bon côté des choses et se réjouit que les vitriers aient du travail pour les fêtes de Noël !

On pense que la météorite est tombée quelque part au sud de New Zebedee. Elle fera sans doute l'objet d'investigations scientifiques dès qu'on l'aura trouvée.

Si l'un de nos aimables lecteurs devait apercevoir un cratère encore fumant en se promenant dans les bois, le *Chronicle* serait heureux de lui offrir une récompense de 10 dollars pour ce précieux renseignement sur l'emplacement de l'impact. Mais n'en parlez qu'au *Chronicle*, car si la nouvelle parvenait aux oreilles de la déesse Diane, elle pourrait se fâcher et vous frapper de malédiction !

– Tiens, c'est bizarre ! s'étonna Emily. Ils ne semblent pas avoir pris les choses très au sérieux à l'époque, tu ne trouves pas ?

– Le journaliste a peut-être adopté ce ton parce qu'il était content que personne n'ait été blessé, lui répondit Kévin. Le bruit de la chute d'une météorite doit être effrayant, si tu veux mon avis. Les gens ont dû se sentir soulagés quand ils ont vu qu'il ne s'était rien passé de grave.

– Tu as sûrement raison, reconnut Emily.

Ils continuèrent à feuilleter les journaux et, dans la rubrique nécrologique du mercredi suivant, ils trouvèrent une notice concernant Jebediah Clabbernong. Elle ne disait pas grand-chose : « Jebediah Clabbernong, fermier, est soudainement décédé le 21 décembre à minuit. Les obsèques se dérouleront dans la plus stricte intimité. »

C'était tout. Il n'y avait aucun autre article concernant la météorite ou les Clabbernong. Kévin resta songeur pendant qu'Emily refermait le gros volume. Quelque chose était sur le point de lui revenir en mémoire.

— Hé! s'écria-t-il. Le 21 décembre est le jour le plus court de l'année, non?

— Oui, c'est le solstice, le premier jour de l'hiver, le jour le plus court et la nuit la plus longue de l'année. Et, demain, ce sera le premier jour de l'été, le jour le plus long et la nuit la plus courte de l'année. Et alors?

— Ce n'est peut-être pas un hasard, suggéra Kévin. Imagine que le vieux Jebediah ait trouvé un sortilège qui a attiré la météorite vers la Terre cette nuit-là! Les sorciers ne peuvent jeter leurs sorts les plus puissants que certains jours de l'année, tu sais. Oncle Jonathan peut éclipser la lune, mais pas n'importe quand. Toutes les étoiles doivent être bien placées. D'ailleurs, ce n'est pas une véritable éclipse puisqu'on ne peut la voir qu'à un mile à la ronde.

Emily tambourinait du bout des doigts sur la table de la bibliothèque.

— Il se peut que tu aies raison, dit-elle lentement. Mais je ne vois pas comment le savoir avec certitude si tu ne veux pas en parler à ton oncle ni à Mme Zimmermann...

— Ah non! s'exclama aussitôt Kévin. Ils vont encore penser que je me mêle de ce qui ne me regarde pas s'ils apprennent que j'ai lu ces vieux articles de journaux.

Emily recula sa chaise de la table.

– Bon d'accord. À mon avis, tu as tort, mais je sais que toute cette histoire t'inquiète énormément. J'ai une idée : pourquoi n'irions-nous pas visiter cette vieille ferme ?

Kévin sentit soudain son estomac se nouer.

– Je... je ne sais pas, bredouilla-t-il. C'est... c'est loin de la ville, et... et...

– On pourrait y aller en vélo, insista Emily. On a déjà fait des tas de longues balades comme ça. Si on part de bonne heure, disons à 7 heures du matin, on pourrait y être vers 9 heures, 9 h 30. Si on le faisait samedi ? Ça nous laisse quelques jours pour nous préparer. Et on aura le temps de fouiner dans la ferme, de faire un pique-nique et de revenir sans que personne n'en sache rien.

C'était une bonne idée, mais Kévin avait l'impression qu'une énorme main lui serrait la poitrine et l'empêchait de respirer. Après les horreurs qu'avait racontées son oncle la nuit où il avait surpris sa conversation avec Mme Zimmermann, rien que penser à cette sinistre ferme lui donnait la chair de poule.

– Qu'est-ce… qu'est-ce que tu crois qu'on va trou… trouver là-bas ? demanda-t-il d'une voix hésitante en essayant de gagner du temps.

– Le cratère de la météorite, lui répondit Emily. Ou un livre de magie ! Ou le trésor de la Sierra Madre, qui sait ? En tout cas, on ne trouvera rien si on n'essaie pas.

Kévin avala sa salive, espérant faire ainsi disparaître la boule qu'il avait dans la gorge.

– Tu es sûre qu'il faut y aller ? C'est un endroit affreux, ça ne te fait pas peur ? lança-t-il d'une voix rauque.

Emily lui fit un pâle sourire.

– J'ai peur, c'est vrai, avoua-t-elle. Mais ce sera dans la journée et nous serons ensemble ! Nous détalerons comme des lapins s'il se passe quelque chose de bizarre, je te le promets.

Les pensées se bousculaient dans la tête de Kévin. Ce qu'il voulait par-dessus tout, c'était que son oncle l'aime, lui fasse confiance et le garde avec lui. L'idée d'Emily pourrait soit l'aider dans ce sens, soit tout faire s'effondrer comme l'énorme cage de son cauchemar. D'un autre côté, il sentait bien qu'il devait faire preuve de plus d'initiative et de détermination. En agissant résolument comme son amie, sans hésiter ni s'inquiéter avant même que le moindre incident se soit produit.

Il se força à parler calmement.

— C'est entendu. J'irai avec toi. Mais s'il se passe quelque chose...

— Nous nous sauverons en courant, lui promit Emily. Comme des lapins.

— Comme des lapins, répéta Kévin pour sceller leur accord.

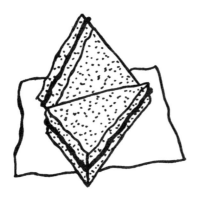

Chapitre 5

Le mercredi soir, au dîner, Kévin demanda à son oncle si Emily et lui pourraient faire une grande balade à vélo. Jonathan, qui était en train de se servir de la purée de pommes de terre, marqua une pause.

– Écoute, je n'y vois pas d'inconvénient, dit-il. Mieux vaut le faire maintenant qu'en juillet, quand le soleil est si brûlant qu'on pourrait faire cuire un œuf au plat sur le trottoir.

Il versa la cuillerée de purée dans son assiette.

– Et en parlant d'œuf au plat, je veillerai à ce que vous emportiez des sandwichs bien garnis. Je ne vois pas l'intérêt de mourir de faim en rase campagne !

Kévin et Emily organisèrent donc leur expédition pour le samedi suivant.

Le vendredi matin, Kévin vit en se réveillant que le temps était à l'orage. Des nuages bas, sombres et déchiquetés, filaient dans le ciel, et de brusques rafales de vent sifflaient le long des toits et rabattaient la pluie cinglante qui fouettait alors violemment les vitres. Kévin se sentit secrètement soulagé. Si ce mauvais temps persistait, leur balade en vélo serait annulée, ce qui n'était pas pour lui déplaire.

Vers midi, un orage éclata, un vrai «coup de tabac» comme disait oncle Jonathan. Des torrents d'eau s'abattirent sur le toit et des éclairs zébrèrent le ciel. Le tonnerre secouait les vitres et faisait vibrer le plancher. Pendant trois minutes, un déluge de grêle frappa New Zebedee. Des grêlons gros comme des billes rebondissaient en crépitant sur le sol, et le jardin fut rapidement tout blanc comme s'il avait neigé en juin. La grêle cessa brutalement, mais la pluie, les éclairs et le tonnerre ne firent qu'empirer.

Jonathan était assis à son bureau. Il avait à la bouche une pipe qu'il n'avait pas allumée, et son attention était concentrée sur un livre de magie. En temps normal, Kévin avait peur des orages, mais celui-ci lui fit l'effet d'une délivrance. Il monta l'escalier de l'aile sud et s'assit sur le palier pour regarder le vitrail qui avait encore changé. Au lieu de l'avertissement, il y avait maintenant un paysage représentant une ferme peinte en blanc au bout d'un chemin jaune traversant des champs vert vif. Un oiseau blanc volait au-dessus du toit dans un splendide ciel bleu.

De temps à autre, un éclair illuminait l'image ovale. Malgré la tempête, cette scène paisible rassura Kévin. Peut-être s'était-il inquiété pour rien ? Comme la perspective de visiter la ferme Clabbernong paraissait s'éloigner, il avait l'impression qu'un énorme poids lui avait été enlevé des épaules.

Un roulement de tonnerre assourdissant fit trembler l'escalier. Les lumières électriques vacillèrent, faiblirent, puis s'éteignirent. Instantanément, la cage d'escalier devint une sorte de puits noir sinistre. Kévin sauta sur ses pieds, monta à toute allure au premier étage, courut dans sa chambre et se jeta sur son lit. Une de ses tantes lui avait toujours affirmé qu'on ne risquait rien en cas d'orage si on s'allongeait sur un lit de plumes. Il ne savait pas si son matelas était en plumes, en laine ou en moustaches de langouste, ni même si sa tante avait dit vrai ou si ce n'était qu'une superstition, mais de toute manière, il se sentait plus en sécurité sur son lit et décida d'y rester pendant que la tempête faisait rage dehors.

En jetant un coup d'œil à son réveil, il vit avec une sorte de répulsion que le rivet brillait à nouveau de ces couleurs indéfinissables. Elles étaient encore plus vives que la fois précédente. À chaque éclair qui zébrait le ciel, elles flamboyaient comme si l'électricité extérieure les galvanisait. Le rivet n'avait plus l'air d'un simple morceau de métal et sa surface chatoyante semblait palpiter de vie dans la pénombre.

Kévin ouvrit le tiroir de sa table de nuit où il avait entassé tout un bric-à-brac : des vieilles cartes à jouer, des pions de Monopoly, quelques photos, un chapelet, etc. Avec mille précautions, en le poussant légèrement du doigt, Kévin fit rouler le rivet jusqu'à ce qu'il tombe dans le tiroir qu'il referma brutalement. D'un air inquiet, il regarda le bout de son index pour voir s'il brillait lui aussi. Les étranges lueurs colorées n'étaient apparemment pas contagieuses car sa peau avait l'air parfaitement normale.

Un moment plus tard, le courant fut rétabli. Il y eut quelques derniers coups de tonnerre et quelques méchantes giclées de pluie, puis l'orage se calma et s'éloigna vers l'est. Kévin s'agenouilla devant sa fenêtre et regarda dehors. Le ciel s'éclaircissait et du bleu apparaissait déjà par endroits entre les nuages. Quelques feuilles mouillées s'étaient collées aux vitres et l'on entendait des gouttes d'eau tomber du marronnier dans le jardin. L'orage était enfin terminé.

Vers l'heure du dîner, ce soir-là, le ciel s'éclaircit. À la télévision, la météo annonça un temps chaud et ensoleillé pour le week-end. Kévin comprit que leur balade ne serait pas annulée et son cœur se serra. Il passa une nuit agitée et fit à nouveau des rêves étranges et terrifiants dont il ne put vraiment se souvenir quand il se réveilla à 3 heures du matin. Il gardait simplement l'impression qu'une énorme créature l'avait férocement pourchassé. Et le rivet ? Comment était-il ?

Partagé entre la peur et la curiosité, Kévin ouvrit le tiroir de sa table de nuit. Rien ne brillait à l'intérieur. Le rivet n'était qu'un simple bout de métal d'une dizaine de centimètres de long. Kévin referma le tiroir et se rendormit sur-le-champ.

Le réveil sonna à 6 h 30 en le tirant brutalement d'un profond sommeil sans rêves. Il tendit le bras et tâtonna pour l'éteindre, puis s'assit au bord du lit, tout ensommeillé. Les paupières lourdes, il alla à la salle de bains s'asperger le visage et revint dans sa chambre en traînant les pieds. Il faisait beau. Emily serait là dans vingt-cinq minutes.

Il s'habilla et descendit l'escalier sur la pointe des pieds au cas où son oncle dormirait encore. Avant même d'arriver au rez-de-chaussée, il sentit l'odeur du bacon. Il fila à la cuisine et trouva oncle Jonathan et Mme Zimmermann portant chacun un tablier et s'activant devant la cuisinière.

– Bonjour, Magellan[1] ! lança son oncle. Avant de partir pour votre grande aventure, aimeriez-vous prendre un ou deux œufs brouillés ?

Kévin en prit deux, ainsi que quelques tranches de bacon et deux merveilleux toasts grillés tartinés de beurre frais et d'une délicieuse et odorante gelée de pomme confectionnée par Mme Zimmermann.

– Je sais bien que, pour Jonathan, faire un sandwich consiste à glisser une tranche de viande entre deux morceaux de pain, dit Mme Zimmermann. Alors je suis venue vous préparer votre pique-

_____

1. Fernand de Magellan (1480-1521), grand navigateur portugais du XVe siècle *(N.d.T.)*.

nique! Vous aurez deux sandwichs chacun, des pickles au fenouil et quelques échantillons de mes brownies caramélisés. Je te signale que ma recette de pickles a gagné le prix de la Foire du comté en 1938, alors dégustez-les avec respect!

Kévin le lui promit en souriant. Puis il rangea toutes ces victuailles dans les sacoches de son vélo.

– Et qu'est-ce que vous allez boire? demanda Jonathan sur le pas de la porte qui donnait derrière la maison.

– Nous nous arrêterons dans une station-service pour acheter des sodas, lui répondit Kévin.

Jonathan glissa la main dans sa poche et en retira son gros porte-monnaie de cuir brun, duquel il sortit deux billets de un dollar.

– Voilà, tu peux garder la monnaie. Mme Zimmermann et moi, nous avons quelques courses à faire et nous ne serons sans doute pas rentrés avant 3 ou 4 heures de l'après-midi. Dis à Emily que si elle veut dîner avec nous, notre vieille sorcière s'est proposée de faire le repas!

Derrière lui, dans la cuisine, Mme Zimmermann pouffa de rire.

– Heureusement pour vous! Je me demande dans quel état vous seriez si je ne vous faisais pas de temps en temps à manger!

– D'accord, j'inviterai Emily à dîner! lança Kévin.

Il contourna la maison en poussant sa bicyclette, lui fit passer le portail et attendit sur le trottoir. Quelques secondes plus tard, Emily apparut, appuyant vigoureusement sur les pédales pour monter la côte. Elle s'arrêta devant Kévin en haletant.

– Tu es prêt? lui demanda-t-elle en posant un pied sur le sol.

Kévin hocha la tête d'un air morose.

– Je crois que oui.

– Alors on y va! dit-elle en faisant demi-tour.

Ils descendirent la pente en roue libre et se dirigèrent vers le centre-ville. Il était tout juste 7 heures et New Zebedee se réveillait à peine. Il y avait très peu de voitures dans les rues, et ils croisèrent le laitier de Twin Oaks qui faisait sa tournée. Ils traversèrent la ville et prirent la direction du sud. Le soleil était sur leur gauche et, à droite, dans la lumière matinale, leurs deux ombres longilignes avançaient en tremblotant sur l'herbe des prés couverts de rosée.

Vers 7 h 30, ils rejoignirent la route de la rivière Wilder, pédalant l'un derrière l'autre en silence. Ils croisèrent quelques camionnettes qui passèrent bruyamment, pleines à ras bord de maïs, de tomates ou d'autres produits que les fermiers allaient vendre à New Zebedee.

Finalement, Kévin trouvait cette balade très agréable. Le temps était parfait, pas trop chaud avec la fraîcheur matinale. Des merles chantaient joyeusement dans les chênes et les marronniers qui bordaient la route. Il sentit surgir son second souffle – cette impression de pouvoir continuer indéfiniment à monter et descendre les genoux, le cœur battant régulièrement, sans jamais se fatiguer.

Emily s'arrêta au bord de la route juste avant le nouveau pont. Kévin freina et descendit de sa bicyclette à côté d'elle.

– Ils auront bientôt fini, dit-il.

La carcasse métallique du vieux pont était presque entièrement démontée. Il ne restait que les deux supports d'ancrage sur chaque rive et les quatre piliers porteurs dans la rivière. Le long plateau d'un gros camion rempli de poutrelles noires ployait sous leur poids.

Kévin et Emily contemplaient tristement ce qui restait du vieux pont lorsqu'une Ford 1949 de couleur bordeaux se gara à côté d'un bulldozer. Un homme trapu et rougeaud en sortit. Il portait une chemise à carreaux bleus et blancs, un jean délavé et de vieilles chaussures de chantier tout

usées. Une grosse moustache noire broussailleuse cachait à moitié sa bouche et, de chaque côté de son crâne chauve, deux touffes de cheveux noirs retombaient derrière ses oreilles.

– Salut! lança-t-il en agitant la main amicalement. On a eu un drôle de coup d'tabac hier, hein?

– Ouais, un sacré orage, reconnut Emily. Vous travaillez sur le chantier?

L'homme tendit le bras pour attraper sur son siège un bloc-notes et un casque de chantier. Puis il claqua la portière en disant:

– En fait, l'nouveau pont est presque achevé. Il est beau, non? Maint'nant, on va enlever les embases du vieux, et j'crois bien que not' boulot sera terminé.

– Et quand aurez-vous fini? lui demanda Emily.

L'homme regarda ce qui restait du pont en se grattant pensivement le nez.

– Hmmm... On a pris du r'tard sur l'planning et c'est pour ça qu'on vient travailler l'samedi, mais ça n'sera plus très long. Y faut pas beaucoup d'temps pour enlever c'qui reste, et j'crois qu'on aura fini pour l'week-end prochain. Faudra un peu de dynamite pour dégager ces vieilles piles de pont mais, dans une semaine, personne saura plus qu'y avait un vieux pont ici!

– Et qu'est-ce que vous allez faire du métal ? lui demanda Kévin.

– Hein ? C'qu'on va faire du métal ?

L'homme se gratta le crâne, puis enfonça le casque sur sa tête.

– J'en sais rien, fiston. J'me suis jamais posé la question, j'dois dire. J'suppose qu'la compagnie va l'vendre à la ferraille, ou un truc dans c'genre. Mais j'vais t'dire une chose, mon gars : c'est d'la première qualité. Drôlement solide, et pas un point de rouille ! On n'en fait plus d'cette qualité-là.

– C'est vrai, reconnut Kévin.

Un camion rempli d'ouvriers se gara en bringuebalant de l'autre côté du pont et l'homme leur cria de se dépêcher. Emily remonta sur son vélo et traversa le pont, suivie de Kévin. Pendant presque une heure, ils pédalèrent dans la campagne en silence. Au petit carrefour, ils virent le canon, l'église, et s'arrêtèrent à la boutique pour acheter des boissons et aller aux toilettes. Par chance, elle venait juste d'ouvrir. Un homme leur dit bonjour en bâillant et leur vendit deux bouteilles de Coca.

Ils repartirent vers 8 h 30, et durent encore pédaler trois quarts d'heure avant d'arriver à la vieille ferme des Clabbernong. Le chemin de terre qui devait autrefois relier les bâtiments à la route était complètement défoncé et trop raviné par les intempéries pour qu'ils puissent le prendre en vélo. Ils mirent donc pied à terre et poussèrent leurs bicyclettes jusqu'à la ferme en ruine.

Les fenêtres du premier étage étaient obstruées par les poutres de la charpente et les tôles rouillées du toit effondré. Toutes les vitres du rez-de-chaussée avaient disparu depuis longtemps, et les fenêtres béantes s'ouvraient sur l'obscurité qui régnait à l'intérieur. Kévin sentit la même odeur écœurante, qui lui sembla néanmoins un peu moins forte après la pluie. Il avait une impression bizarre et, pendant quelques instants, se demanda pourquoi. Puis, soudain, il murmura à Emily :

– Écoute, Emily.

Emily s'immobilisa.

– Je n'entends rien.

– C'est ce que je voulais dire. Pendant tout le trajet, on a entendu les oiseaux chanter et les sauterelles crisser. Mais ici il n'y a rien.

– C'est pas très rassurant, murmura Emily.

Ils venaient d'arriver devant la véranda délabrée de la ferme.

– On n'a qu'à laisser nos vélos ici, proposa-t-elle.

Kévin descendit la béquille de sa bicyclette.

– Je crois qu'il vaut mieux ne pas entrer, dit-il en cherchant à voir l'intérieur du bâtiment par la porte ouverte.

Des particules de poussière voletaient lentement dans un rai de lumière, mais le reste était plongé dans l'obscurité.

– On dirait que tout peut s'effondrer d'une seconde à l'autre. Et ça sent affreusement mauvais.

Emily hocha la tête.

– Oui, il y a une odeur de moisi, et aussi de souris crevée, de tomates pourries, et de...

– Arrête, grogna Kévin, tu vas me rendre malade.

Ils longèrent le côté de la bâtisse. Comme l'avait dit oncle Jonathan, la végétation n'était pas seulement morte, mais semblait cristallisée. L'herbe craquait et s'émiettait sous leurs pieds. Derrière la maison, ils trouvèrent une grange dont le toit de tôles incurvé était intact, mais dont les planches étaient tordues et noircies par les intempéries. Sur sa gauche, Kévin vit un puits de briques rouges effritées dont la margelle devait lui arriver à la taille.

Le treuil était toujours en place, et une vieille corde effilochée y était enroulée. Un seau cabossé était posé sur le rebord, rongé de rouille orange vif.

– Je ne vois rien de particulier, lança timidement Kévin. On n'a qu'à s'en aller !

– On va voir derrière la grange, lui répondit Emily. Mme Zimmermann a dit que la météorite était tombée là-bas.

Kévin la suivit à contrecœur. De vieux piquets de clôture reliés par des fils de fer barbelés rouillés penchaient dans tous les sens. Dans le pâturage abandonné, les hautes tiges des mauvaises herbes, encore debout, tombaient en poussière dès que Kévin ou Emily les effleuraient.

– C'est bizarre que les intempéries n'aient pas détruit tout ça ! s'exclama Kévin. La pluie, la grêle et le vent auraient dû...

Il s'interrompit en entendant Emily pousser un petit cri devant lui.

– Le voilà ! lança-t-elle en haut d'une butte.

Kévin la rejoignit en haletant et contempla la cuvette du cratère à leurs pieds.

– Je me demande si le *Chronicle* me paierait quand même les dix dollars, dit Emily. Il ne fume plus !

Le cratère – si c'était bien lui – était terreux, sans le moindre brin d'herbe. Un peu d'eau stagnait au fond, formant une petite mare, et la paroi de boue séchée était toute craquelée. Le trou devait faire trois mètres de large et quatre ou cinq mètres de haut. La pente des bords était raide et la flaque faisait environ un mètre de diamètre.

– Et maintenant qu'on l'a trouvé, qu'est-ce qu'on est censé faire ? demanda Kévin. Ne compte pas sur moi pour creuser dans cette gadoue !

– De toute manière, ça ne servirait à rien. En tout cas, on sait à présent où la météorite est tombée. Bon ! On va chercher un endroit qui pue un peu moins pour manger nos sandwichs et réfléchir tranquillement.

Ils repassaient devant la grange lorsque, soudain, Kévin vit Emily tomber et disparaître en poussant un cri ! N'en croyant pas ses yeux, il pensa un instant qu'il s'agissait d'un tour de magie, mais il entendit presque aussitôt des gémissements terrifiés.

– Au secours, Kévin ! Sors-moi de là !

Un trou s'était ouvert dans le sol et Emily était tombée dedans. Des vieilles planches pourries s'étaient effondrées sous ses pieds. Il se mit à plat ventre, s'approcha du bord et regarda au fond. Le soleil entrait maintenant à flots dans la cavité et, en contrebas, le visage d'Emily était levé vers lui, terrorisé.

– Je vais te tirer de là, dit-il en lui tendant le bras. Donne-moi la main !

Emily haletait.

– C'est un vieil abri contre les tornades ! cria-t-elle d'une voix affolée. Attends une minute... Tiens, prends ça ! Dépêche-toi ! Prends-le !

Elle fourra quelque chose dans les mains de Kévin qui se redressa. C'était un coffret en bois de la taille d'une grosse boîte de cigares.

– Vite, aide-moi à sortir ! lui cria Emily. Je n'en peux plus !

Kévin savait qu'elle était terrorisée par les lieux clos. Il posa le coffret par terre et lui tendit les mains. Elle lui agrippa les poignets et il tira vers l'arrière. La tête et les épaules d'Emily surgirent du trou, et elle le lâcha d'une main pour se hisser sur le bord. Kévin la tira encore un peu et elle émergea enfin complètement de la fosse.

Elle tremblait comme une feuille.

– Berk ! Il fai... faisait si sombre là-dedans, et ça sen... sentait comme si c'était fer... fermé depuis des siècles !

Soudain, Kévin entendit un bruit derrière lui. Un froissement sec, comme si l'on écrasait lentement de vieux papiers craquants. Et un souffle rauque – *hhahhhh* – comme un râle d'agonie.

Emily regarda derrière lui vers la grange et se plaqua la main sur la bouche, les yeux écarquillés de terreur.

Sentant son cœur bondir dans sa poitrine, Kévin se força à se retourner.

Quelque chose essayait de sortir de la vieille grange délabrée.

Quelque chose de grand et de gris qui titubait.

Quelque chose qui, jadis, avait sans doute été un cheval.

Ce n'était plus maintenant qu'une silhouette argentée, toute desséchée et bosselée. La chair de ses pattes difformes qui s'efforçaient d'avancer s'émiettait sur le sol, dénudant les os cassants qui s'effritaient à leur tour. La bouche s'ouvrit et d'affreux gémissements en sortirent. Les yeux étaient des orbites vides, mais Kévin sentit qu'ils voulaient mourir et l'imploraient de mettre un terme à cette souffrance.

Après coup, il ne se rappela même pas qu'il s'était mis à courir. Tous deux s'étaient promis de détaler comme des lapins en cas de problème, et c'est ce qu'il fit. Il se précipita vers les vélos en tirant Emily par la main, sans remarquer qu'elle avait ramassé le coffret en bois.

– Regarde ! lui cria Emily avant de contourner la maison.

L'horrible silhouette titubante arrivait au bord de l'abri contre les tornades. Les planches s'effondrèrent et elle dégringola dedans en poussant un dernier hennissement désespéré. Des tourbillons de poussière jaillirent de la fosse.

Dans son souvenir, Kévin se revoyait ensuite sur la route, pédalant avec Emily de toutes ses forces pour s'éloigner de la ferme et de ses abominables secrets.

Chapitre 6

Kévin et Emily rentrèrent à New Zebedee d'une seule traite, sans faire le moindre arrêt pour reprendre haleine. Quand ils arrivèrent à East End Park, ils étaient tous deux complètement essoufflés et morts de fatigue. Ils laissèrent tomber leurs vélos par terre et s'assirent dans l'herbe en haletant. Les poumons de Kévin le brûlaient et il avait l'impression de manquer d'air. Emily finit par se relever en titubant. D'un signe de tête, elle lui montra un banc sous un grand sapin et il se força à se mettre debout pour la suivre, puis s'écroula sur le banc.

– On n'a qu'à manger. C'est déjà midi !

– Attends une minute, soupira Kévin. Je vais mourir si je fais le moindre geste ! Il faut que je me repose.

– Je vais chercher le pique-nique, dit Emily.

Ils mâchèrent leurs sandwichs en silence et burent de petites gorgées de Coca tiède en regardant sans les voir les promeneurs qui passaient devant eux. Kévin remarqua à peine ce qu'il mangeait alors que Mme Zimmermann s'était surpassée dans sa garniture composée de rosbif, oignons, fromage, moutarde, laitue et tomate. Il aurait avalé du carton sans même s'en rendre compte.

À cette heure de la journée, toutes sortes de gens venaient pique-niquer sous les arbres ou se promener dans le parc, mais personne ne leur prêta attention. Kévin avait une drôle d'impression. Pas parce que l'endroit lui semblait bizarre, bien au contraire. Non, le parc, les passants, les voitures dans la rue, la chaleur du soleil, tout était parfaitement normal. Si normal que, en comparaison, tout ce qui s'était passé à la ferme avait l'air d'un simple cauchemar. Quel soulagement s'il avait pu l'interrompre en se réveillant !

Malheureusement, il savait que tout ce qui s'était passé était réel. Aussi réel que les pickles croquants de Mme Zimmermann. Quand ils eurent fini de manger, il rassembla les emballages et les jeta dans une poubelle. Puis il mit les bouteilles vides dans une de ses sacoches pour pouvoir les rendre et récupérer la consigne.

– Bon, ça va mieux! dit Emily en sortant de sa propre sacoche le coffret de bois qu'elle avait trouvé à la ferme. Je crois que je me sens de le faire maintenant. Voyons un peu ce qu'il y a dans cette pochette surprise!

Elle tourna la boîte dans tous les sens en se demandant comment elle s'ouvrait. On aurait dit un petit bloc de bois massif, mais Kévin se souvenait d'avoir senti quelque chose bouger à l'intérieur lorsqu'il l'avait eue en main. Emily finit par découvrir une minuscule fente, aussi fine qu'un cheveu. Elle essaya d'y glisser un ongle, sans succès.

Kévin mit la main dans la poche de son jean et en sortit son canif de scout.

– Tiens, dit-il en le tendant à Emily. Essaie avec ça.

Emily ouvrit la lame et la glissa dans la fente. Puis elle souleva le couvercle qui pivota sur une charnière invisible. La boîte contenait un petit livre. Un petit livre mince dont la couverture toilée était d'un vert fané, et dont le dos et les angles étaient renforcés de cuir rouge usé. On dirait un vieux registre, pensa Kévin. Une vive odeur de cèdre s'échappa de la boîte quand Emily en retira le livre.

– Alors ? demanda Kévin plein d'impatience. Il a un titre ?

– Ne t'énerve pas, murmura Emily. On va voir.

Elle ouvrit le livre avec précaution, et Kévin vit qu'il s'agissait effectivement d'un registre dont les pages étaient quadrillées de fines lignes bleu pâle. Les vieilles feuilles lustrées avaient jauni avec le temps. Sur la première page, écrit à la main dans une calligraphie en pattes de mouche avec une encre que le temps avait brunie, il y avait un titre :

Journal occulte
de Jebediah Clabbernong

– Tiens ! Ce truc a appartenu au vieux sorcier, dit Emily. On va voir ce qu'il raconte.

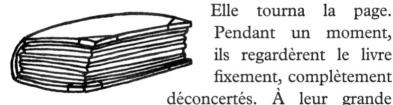

Elle tourna la page. Pendant un moment, ils regardèrent le livre fixement, complètement déconcertés. À leur grande déception, le texte semblait n'avoir aucun sens. Les pages étaient remplies de petits dessins tarabiscotés représentant des étoiles, des sirènes, des ancres, des fleurs d'aspect étrange et des silhouettes humaines et animales bosselées, suivis d'annotations dans la même écriture que le titre disant : «Ffp. en 2 segs., w/D.K.A., prép. selon Règle de Yog.» «Essayé 9e incant. du Ncon, trad. de copie fr. Rslt nul. Inutile sans Élém. de Salamandre. Plus ds Josephus ou Clavicle.» «Signe vor., minuit, sur hauteur rocheuse. Manifest. partielle poss. G-A. Ou esprit? Ou élémentaire?»

Kévin secouait la tête et haussait les sourcils à mesure qu'Emily tournait les pages. Mais, soudain, vers la moitié du livre, les annotations se transformèrent en une sorte de journal de bord qui commençait ainsi :

Mars 1860. Calculs et grosse déception. L'Étoile rouge n'apparaîtra que dans quatre-vingt-quatorze ou quatre-vingt-seize ans. Je ne veux pas mourir avant l'ouverture de la Grande Porte ! Je vais essayer le rite de Kl'ash-t'un. Je pourrai peut-être attirer sur Terre un fragment de la comète plus tôt que prévu. Il se peut que cela suffise, mais cela demande un grand pouvoir. Cela va-t-il me coûter la santé ? La raison ? Cela vaut la peine de prendre le risque !

Kévin plissa le front en lisant les autres paragraphes, généralement séparés par un intervalle de plusieurs semaines ou de plusieurs mois. Jebediah passait beaucoup de temps à se demander où il pouvait trouver les choses :

Il faut que je lise les Sept Rituels dans le Livre des horreurs innommables, *mais la seule copie du pays est dans le Massachusetts. Je vais y aller.*

Plus tard, il avait écrit :

Ah, si je pouvais avoir une édition complète des Noms des Morts ! Ça me rend fou d'être si près du but et de ne pas avoir la grande clé !

En juin 1865, on pouvait lire :

Enfin accompli l'épouvantable rite de Kl'ash-t'un selon la règle de trois, six, neuf, pendant neuf jours, dix-huit jours et vingt-sept jours. Réussite, épuisement, prostration, dormi pendant trois jours, très faible. Combien faut-il attendre ? Dix ans ? Vingt ans ? Je ne suis plus très jeune ! Il faut que je vive jusqu'à ce que le rite aboutisse. Peut-être un sacrifice rallongerait-il ma vie ?

Et six mois plus tard :

C'est fait. Mon neveu et sa femme. Seront enterrés demain. Et leur fils ? C'est ma seule famille. À l'orphelinat ? Non. J'ai envie d'avoir un apprenti. Il n'a que deux ans. Tout le temps de le former et le modeler à mon gré.

Emily releva la tête d'un air horrifié.

– Il a tué son propre neveu et sa femme ! Il les a sacrifiés pour prolonger son existence et voir un fragment de l'Étoile rouge.

– C'est sûrement la météorite ! s'exclama Kévin. Le *Chronicle* disait qu'elle était rouge sang.

– Alors il a fallu vingt ans pour qu'elle arrive sur Terre, dit Emily.

– Et ce petit-neveu âgé de deux ans était sans doute Elihu Clabbernong, ajouta lentement Kévin.

Il regarda autour de lui, mais personne ne pouvait les entendre.

– C'est affreux, Emily ! Jebediah Clabbernong pratiquait une horrible magie ! Il faut qu'on montre ce journal à oncle Jonathan !

Emily secoua la tête.

– On va d'abord finir de le lire. Plus nous en saurons, mieux ça vaudra.

Ils se firent peu à peu une vague idée des noirs desseins du sorcier. Sans connaître tous les détails,

Kévin comprit que Jebediah était persuadé qu'une race de créatures, qu'il appelait les Grands Anciens, avait vécu sur Terre avant l'apparition des êtres humains. Ils pratiquaient une sorte de sorcellerie diabolique, et c'est pour cette raison qu'une puissance supérieure les avait bannis dans une autre dimension.

Le livre ne les décrivait pas, mais Kévin avait l'impression que les Grands Anciens étaient des monstres n'ayant pas la moindre ressemblance avec les hommes. Sa lecture avait éveillé dans son esprit des images de masses humides et visqueuses comme des pieuvres, des mollusques ou des limaces. Certains d'entre eux essayaient toujours de revenir dans notre dimension pour se réapproprier la Terre. D'autres s'étaient envolés vers les confins de l'espace intersidéral.

Quand les êtres humains se répandirent sur Terre, nombre d'entre eux crurent que les Grands Anciens avaient été des sortes de démons. D'autres pensèrent qu'il s'agissait de mythes et de légendes. Mais quelques personnes, dont Jebediah, les vénérèrent comme des dieux. Le vieux sorcier croyait que s'il pouvait «ouvrir la Grande Porte» pour laisser passer ne serait-ce qu'un seul de ces Grands Anciens, ils détruiraient l'humanité et redeviendraient les maîtres de la Terre. Et le corps du vieux sorcier se transformerait pour qu'il devienne l'un d'eux. Il acquerrait ainsi un immense pouvoir et ne mourrait jamais. Toute sa vie était orientée vers cet unique objectif.

Dans les dernières pages de son journal, Jebediah se montrait de plus en plus furieux et impatient : «Je vieillis ! Je vieillis ! Déjà à moitié aveugle, les bras et les jambes terriblement faibles ! Combien de temps vais-je encore résister ?» écrivait-il. Et : «Maudite soit cette Terre ! Maudits soient ses habitants, ces ignobles vers qui grouillent à sa surface ! Faites que je vive jusqu'à ce que l'Étoile rouge illumine les cieux et que le moment soit venu d'ouvrir la Grande Porte !»

Il y avait enfin une dernière annotation datée du 1er décembre 1885. Elle était simple, brève, et faisait froid dans le dos : «Elle arrive.»

Les pages suivantes étaient blanches.

Emily referma le livre.

– La météorite est tombée vingt jours plus tard, dit-elle à voix basse. Et le vieux Jebediah est mort.

– Et... et s'il n'était pas mort ? bredouilla Kévin. Je... je veux dire, et si... si Elihu croyait que son oncle était mort, alors qu'il serait en fait dev... devenu...

Il ne put même pas finir sa phrase.

– Tu veux dire, si... s'il était devenu ce... ce cheval que nous avons vu ? suggéra Emily d'un air horrifié.

Elle garda le silence un moment et ajouta dans un murmure :

– Il était assez dingue pour le faire, s'il pensait que ça lui permettrait d'attendre la venue de l'Étoile rouge et l'ouverture de cette porte idiote.

Kévin prit une longue inspiration tremblante.

– Je n'y comprends rien. Des tas de gens ont dû visiter la ferme depuis 1885, ne serait-ce que par curiosité ! Comment se fait-il que personne n'ait vu ce... cet animal ?

– Peut-être qu'il n'y était pas à ce moment-là, dit pensivement Emily. Ou peut-être n'était-il qu'un tas de poussière dans une stalle de l'écurie. Si Jebediah a dit vrai, l'Étoile rouge devrait bientôt apparaître et, en se rapprochant de la Terre, il se peut qu'elle donne à ce genre de créature... pas la vie, mais une sorte de conscience et de mobilité. Et, finalement, le vieux Jebediah pourrait ressusciter d'entre les morts...

Elle s'interrompit en fermant les yeux.

– Il faut qu'on montre ce journal à oncle Jonathan, répéta Kévin. Mais il saura alors que nous sommes allés là-bas...

Emily se mordit les lèvres.

– J'ai une idée. Est-ce que tu as un peu d'argent sur toi ?

Kévin sortit la monnaie de sa poche et la compta.

– Un dollar et quatre-vingts cents.

– Super ! Va vite acheter un bloc, un crayon et une règle, et reviens tout de suite !

Kévin partit en courant et lui rapporta rapidement un bloc de papier jaune, une règle en bois et un crayon noir. Il tailla le crayon avec son canif, et l'odeur de cèdre lui souleva le cœur car elle lui rappelait celle du livre. Quand la mine fut bien pointue, il le tendit à Emily.

– Si je trace des majuscules à l'aide d'une règle, personne ne pourra reconnaître mon écriture, lui expliqua-t-elle.

Kévin fronça les sourcils.

– Ah bon ! Et comment tu sais ça ?

– Je l'ai entendu dans le feuilleton de Philip Marlowe [1], répondit Emily.

C'était une émission policière qu'elle écoutait tous les jours à la radio.

---

1. Personnage de détective privé inventé par le romancier Raymond Chandler *(N.d.T.)*.

– Il faut qu'on réfléchisse à ce qu'on va dire, ajouta-t-elle.

Ils firent un brouillon qu'Emily recopia soigneusement sur une feuille du bloc. Puis ils relurent ensemble le message :

CHER MONSIEUR BARNAVELT

CE JOURNAL POURRA VOUS AIDER À COMPRENDRE JEBEDIAH CLABBERNONG.
JE VOUS EN PRIE, FAITES TOUT VOTRE POSSIBLE.
LE TEMPS PRESSE.

UN AMI

Emily voulait signer «Le Vengeur inconnu», mais Kévin l'en dissuada.

– Et qu'est-ce qu'on va en faire ? lui demanda-t-il.

Emily plia la feuille et la glissa dans le livre.

– On va déposer le coffret devant votre porte et s'en aller. Ton oncle a dit qu'il ne rentrerait chez lui que vers 15 heures, et il n'est pas encore 14 heures. On posera la boîte, on repartira en ville, et on ne reviendra chez toi que vers 16 heures. Ton oncle croira que nous revenons de notre balade en vélo, et il ne saura pas qui lui a laissé le paquet.

Ils étaient si épuisés et avaient si mal aux jambes qu'ils descendirent de leurs bicyclettes en bas de la montée et les poussèrent jusqu'au 100 de la rue Haute.

Emily attendit sur le trottoir. Comme un cambrioleur, Kévin s'approcha de la porte d'entrée et glissa la boîte dans la fente du courrier. Elle passa tout juste, et il l'entendit tomber par terre. Puis il courut rejoindre Emily et ils pédalèrent jusqu'au parc des Épicéas, près de la station hydraulique. Ils s'y reposèrent à l'ombre pendant plus d'une heure. Pendant un bon moment, ils ne se dirent pas grand-chose. Sa chute dans l'abri antitornade avait fortement secoué Emily. Mais au bout d'un moment, elle s'étira et jeta un regard circulaire.

– Je me demande si ce trou dans le sol ne serait pas un atelier secret où le vieux Clabbernong pratiquait la magie.

– Il ressemblait à quoi ? lui demanda Kévin.

Emily fit la grimace.

– À l'intérieur d'un caveau funéraire ! Le sol était en terre battue et les murs en brique. Sur l'un d'eux, il y avait une tablette sur laquelle était posé le coffret.

– Il n'y avait aucun ustensile de magie ? demanda Kévin. Pas de chandelles noires, d'épées ou de trucs de ce genre ?

Emily secoua la tête et frissonna en serrant les bras autour d'elle comme si ce souvenir la tourmentait encore.

– Non, je n'ai rien vu d'autre.

– Alors ce n'était sûrement qu'un simple abri contre les tornades.

Ce genre de perturbation atmosphérique était assez rare dans le comté de Capharnaum, mais la plupart des fermiers de la région avaient creusé des refuges de ce type où leur famille pouvait survivre à la pire des tornades.

– J'ai l'impression que le vieux Jebediah ne faisait pas confiance à son petit-neveu, poursuivit Kévin. D'après Mme Zimmermann, Elihu a brûlé tous les papiers de son grand-oncle, mais il ne devait pas connaître l'existence de ce journal, ou bien ne savait pas où Jebediah l'avait caché. Il se peut que Jebediah n'aie pas réussi – comment a-t-il dit déjà ? – à former et modeler son petit-neveu à son gré, en fin de compte !

Emily fit la grimace.

– Dans ce cas, je trouve qu'Elihu aurait mieux fait de liquider Jebediah et toutes ses affaires !

– Il a fait de son mieux, lui fit remarquer Kévin. Il a construit ce pont en y incluant le morceau de météorite. Il...

Emily lui lança un coup d'œil perçant.

– Qu'est-ce qu'il y a ? On dirait que tu viens d'avoir une vision d'horreur !

Kévin lui répondit d'une voix étranglée qui, même à lui, lui sembla bizarre.

– Emily, murmura-t-il, et si cette météorite était une sorte d'œuf qui aurait amené quelque chose sur Terre ?

Emily le regarda en écarquillant les yeux.

– Tu veux dire qu'un des Grands Anciens pourrait en être sorti ?

– Jebediah disait dans son journal que certains s'étaient envolés dans l'espace intersidéral. Et si l'un d'eux avait voulu revenir ? Peut-être que la météorite était la seule matière qui pouvait le contenir ?

– Ça expliquerait qu'Elihu l'ait intégrée dans le pont, dit lentement Emily. Il voulait empêcher quelque chose de traverser la rivière, mais ce n'était pas le fantôme de son grand-oncle !

– Et maintenant, ajouta Kévin d'une voix blanche, cette chose va pouvoir la traverser comme elle veut !

À quelques kilomètres de là, oncle Jonathan et Mme Zimmermann étaient au sommet d'une colline surplombant la rivière Wilder et son nouveau pont. En bas, les ouvriers s'activaient car ils s'apprêtaient à enlever un des piliers du vieux pont. Ils venaient d'y attacher le câble d'acier qui pendait de la grue et s'étaient écartés. L'un d'eux relia des fils à un détonateur, puis fit un signe. Le contremaître agita le bras et l'ouvrier abaissa une manette, ce qui fit exploser la dynamite sous l'eau. Une gerbe d'eau d'un blanc éclatant jaillit de la rivière, et le pilier oscilla.

Il y eut un bouillonnement d'écume jaunâtre et, même à cette distance, Jonathan et Mme Zimmermann purent entendre les cris de dégoût des ouvriers. Quelques secondes plus tard, la brise poussa jusqu'à leurs narines une puanteur répugnante.

– Je suis très, très inquiet, Florence, murmura oncle Jonathan.

Mme Zimmermann posa la main sur son bras sans rien dire. Mais elle hocha lentement la tête, comme si elle était aussi soucieuse que son ami.

Chapitre 7

En revenant chez lui, Kévin vit que son oncle était déjà rentré. Jonathan ne dit pas mot de la découverte du coffret contenant le mystérieux journal. Emily vint dîner chez eux et elle observa attentivement Mme Zimmermann qui ne laissa pas non plus paraître le moindre indice montrant qu'ils l'avaient trouvé.

Avant qu'Emily ne reparte chez elle, les deux amis se chuchotèrent précipitamment quelques mots.

– Surveille-les, insista Emily. Je veux être sûre qu'ils l'ont bien trouvé.

– La boîte ne s'est pas volatilisée toute seule, lui répondit Kévin. Oncle Jonathan l'a sûrement ramassée avec le courrier.

– Observe-les quand même ! ajouta Emily avant de s'éloigner.

Avec la désagréable impression d'être un espion dans sa propre maison, Kévin s'efforça de surveiller son oncle et Mme Zimmermann.

Il ne se passa rien jusqu'au mercredi suivant. Ce jour-là, au déjeuner, son oncle lui fit une proposition :

– Dis-moi, Kévin, pourquoi n'irais-tu pas ce soir au cinéma avec Emily ? Ils jouent un nouveau western musical qui a l'air extra.

– Je n'aime pas tellement les cow-boys qui chantent, répliqua Kévin en essayant de se dérober.

– Écoute, lui dit son oncle en souriant, j'ai invité des gens et j'ai peur que tu t'ennuies si tu restes ici. Ce sera plus sympa d'aller au cinéma, non ?

Et voyant que Kévin hésitait encore, il ajouta :

– J'ai une idée ! Tu vas aller au cinéma et, un de ces prochains jours, nous inviterons Emily et je lui concocterai un spectacle privé sur la bataille d'Aboukir ou de Trafalgar !

Kévin savait que Jonathan voulait parler d'un de ses tours de magie, les merveilleuses «illusions historiques» qui leur faisaient revivre des scènes célèbres du passé. On aurait dit des films en Technicolor, sauf qu'ils étaient en trois dimensions et qu'on avait vraiment l'impression d'y participer.

Kévin accepta à contrecœur d'aller au cinéma. Mais quand il téléphona à Emily pour lui en parler, elle s'exclama :

– Ça y est ! Je te parie tout ce que tu veux que l'Association des magiciens du comté de Capharnaum va se réunir chez toi ce soir. Il faut absolument qu'on sache si ton oncle a trouvé ce livre. Qu'est-ce qu'on pourrait bien faire ?

Kévin entrevit immédiatement une possibilité. La maison du 100, rue Haute avait une particularité intéressante : un passage secret. Il n'était pas très long, ni même très pratique, et personne ne savait pourquoi il avait été construit. Mais il menait derrière la bibliothèque du bureau de Jonathan et c'était une cachette idéale pour épier la réunion. On y accédait par un placard de la cuisine, et le seul problème serait de s'y faufiler sans se faire voir.

L'après-midi, Jonathan donna cinq dollars à Kévin.

– Tiens, tu pourras t'acheter un hamburger et un soda, et il te restera assez pour payer le cinéma. Et j'y pense, comme vous rentrerez de nuit, mets des vêtements de couleur claire et n'oublie pas de marcher du côté où l'on voit les voitures arriver.

Kévin s'étonna que son oncle se montre aussi soucieux. D'habitude, il lui faisait confiance pour ce genre de choses car il savait que son neveu était très raisonnable. Emily arriva à 17 heures. Mme Zimmermann et Jonathan s'activaient dans la cuisine où ils préparaient des amuse-gueules pour les invités.

– On s'en va ! leur cria Kévin.

– Ne faites pas d'imprudence ! lui répondit son oncle. Et amusez-vous bien !

Mais, au lieu de partir, Kévin et Emily se glissèrent dans le bureau. De ce côté-là, le loquet avait la particularité d'être à l'extérieur et non à l'intérieur du passage. Kévin l'ouvrit. Aussitôt, un pan de la bibliothèque pivota silencieusement sur des charnières invisibles, et les deux amis pénétrèrent dans le couloir secret.

Il était sombre et étroit et, lorsque Kévin remit le panneau en place, il s'aperçut qu'Emily commençait à suffoquer. Il se souvint alors qu'elle avait peur des lieux clos.

– Ça va aller ? lui demanda-t-il.

Elle respira plusieurs fois profondément.

– Je crois que oui. Ce n'est pas trop affreux, finalement. Ça ressemble un peu à une petite pièce, et je vois un peu de jour par les fentes autour de la porte.

Épaule contre épaule, ils restèrent immobiles quelques minutes. La respiration d'Emily se calma progressivement. De temps à autre, elle regardait par un petit trou ce qui se passait dans le bureau.

– Tu me diras quand ils entreront, dit Kévin.

– Tu es sûr que c'est là qu'ils vont se réunir? demanda Emily.

– Les réunions de l'Association des magiciens se passent toujours dans le bureau, affirma Kévin. Tu te sens mieux maintenant?

Emily frissonna à côté de lui.

– Oui. J'ai toujours l'horrible impression que les murs vont se resserrer autour de moi, mais je peux le supporter du moment que je ne suis pas seule. C'est quand même mieux que dans une fosse ou dans un trou. On va bien s'installer et ne plus en parler, d'accord?

N'ayant rien d'autre à faire qu'attendre, Kévin et Emily s'assirent par terre l'un en face de l'autre, adossés aux murs du passage.

– On aurait dû manger avant, chuchota Kévin. Je vais mourir de faim si ça dure trop longtemps.

Emily bougea dans l'obscurité.

– Tends-moi la main.

Kévin sentit qu'elle posait quelque chose sur sa paume ouverte.

– Qu'est-ce que c'est ?

– Une barre de céréales, lui répondit Emily. Je me suis doutée que nous aurions faim.

Kévin adorait ce genre de friandises. Il la mangea de bon cœur, puis ils restèrent assis dans l'obscurité pendant ce qui leur sembla des heures. Soudain, ils entendirent le pas pesant de Jonathan qui installait bruyamment des sièges dans le bureau, et il y eut un brouhaha de voix. Emily se leva et inspecta les lieux par le petit trou.

– Il y a une vingtaine de personnes, murmura-t-elle. Je vois Mme Jaeger, et aussi M. Plum. On dirait que la réunion va commencer.

Debout à côté d'elle, Kévin avait collé son oreille contre le panneau. Il entendit son oncle déclarer :

– Merci à tous d'être venus. Avant de commencer, Howard m'a demandé de rappeler à ceux qui ne sont pas à jour de payer leur cotisation. Bon ! Vous savez pourquoi nous sommes tous là. Je voudrais d'abord vous demander si l'un de vous sait qui a déposé chez moi le fameux colis samedi dernier ?

Des voix murmurèrent diverses réponses néga-
tives allant de « non, pas du tout ! » à « qu'est-ce qui
s'est passé ? ».

– Il semble s'agir d'une
sorte de journal de sorcellerie tenu par Jebediah
Clabbernong, dit oncle
Jonathan. Quelqu'un l'a glissé dans
la fente de ma porte d'entrée pendant que j'étais
sorti. Il y avait un mot d'accompagnement, mais il
était simplement signé « un ami ».

– Et qu'est-ce qu'il y a dans ce livre, Jonathan ?
demanda l'un des assistants.

– Nous l'avons lu et relu plusieurs fois, Florence et moi, répondit-il, et nous avons décidé
de vous en lire des passages. Après la réunion,
nous demanderons à certains d'entre vous d'étudier plus attentivement son contenu. À toi l'hon-
neur, Florence !

Kévin entendit Mme Zimmermann s'éclaircir la
gorge et commencer à lire des extraits du journal.
Quand elle eut terminé, elle demanda :

– Est-ce que l'un de vous sait quelque chose sur
cette étoile rouge dont il n'arrête pas de parler ?

– C'est une comète, Florence ! déclara une voix
d'homme. Une comète qui ne s'approche de la
Terre que tous les treize ou quatorze mille ans, et

qui serait une source d'énergie pour les adeptes de la magie noire, paraît-il. Flavius en parle dans ses écrits et l'on y fait quelques allusions dans la Kabbale. J'ai lu dans un magazine que des astronomes l'ont récemment repérée dans l'espace.

– Et que pensez-vous de cette histoire des Grands Anciens ? demanda Jonathan. D'après ce que je sais, la seule source d'information sur le sujet est le *Necronomicon*, et vous savez tous que cet épouvantable livre est presque introuvable, puisque nous n'avons jamais pu mettre la main sur un exemplaire. Vous avez d'autres renseignements ?

– Le comte d'Erlette en a parlé dans ses écrits, répondit la voix grave d'une femme. Et il y a ce livre allemand intitulé *Cultes innommables* ou quelque chose comme ça. Il s'agirait de créatures démoniaques venant d'une autre dimension, pour autant que je m'en souvienne.

– Oui, je sais, dit Jonathan. Mais qu'est-ce que le vieux Jebediah avait à voir avec eux ? Et quel rôle joue la météorite dans cette histoire ? À ce propos, Walter, qu'est-ce que tu as découvert sur la mort de Jebediah en 1885 ?

– Pas grand-chose, répondit celui-ci. En 1885, Jebediah était un homme âgé. Personne ne semble connaître son âge exact et, selon moi, il avait au moins soixante-quinze ans. Sa santé s'était dégradée depuis environ six mois, et il est mort le 21 décembre, la nuit où la météorite est tombée. D'après le médecin qui l'a examiné, il est mort de « catalepsie » – une sorte de paralysie –, mais je crois que c'était plutôt une attaque. Son seul héritier, Elihu, a fait incinérer le corps, ce qui n'était pas très courant à l'époque. Et personne ne sait ce qu'il a fait de ses cendres.

– À mon avis, intervint Mme Zimmermann, Elihu a dû disperser les cendres dans la rivière et il a fait ensuite construire le pont. Ou bien il les a mises dans un bocal lesté de plomb qu'il a jeté dans l'eau. Elle est particulièrement profonde là où passe le pont, et tout le monde a trouvé bizarre qu'il ait choisi cet emplacement.

– Est-ce qu'il y avait quelque chose dans la météorite ? demanda quelqu'un d'autre.

Kévin entendit son oncle soupirer.

– Personne n'en sait rien, avoua-t-il. Si Jebediah l'a fait venir sur Terre, c'est sûrement parce qu'elle contenait quelque chose. Mais que cette chose soit un extraterrestre, un esprit ou un cadeau surprise, nous n'avons pu le découvrir. Nous avons essayé, Florence et moi, de retrouver tout ce qu'Elihu a laissé à son décès en 1947, et ça n'a pas donné grand-chose. Il a légué toute sa fortune à des œuvres de bienfaisance, et l'étude notariale de Kalamazoo qui gérait ses biens refuse de dire ce qu'il est advenu de ses papiers personnels.

– Quelle étude notariale ? demanda Mme Jaeger, une sorcière qui n'était pas très douée et dont les sorts ne marchaient jamais comme prévu.

– Moote, Mull & Boyd, précisa Jonathan. Malheureusement, M. Moote est maintenant à la retraite, M. Mull est mort, et je dois dire que M. Boyd est aussi énigmatique que le Sphinx !

– De mon côté, je suis allée consulter les archives de Kala-mazoo pour jeter un coup d'œil sur le testament, intervint  Mme Zimmermann. C'est un document légal parfaitement ordinaire, bourré de «attendu que» et de «en conséquence de quoi», mais qui contient un paragraphe très étrange.

Kévin entendit un bruissement de papier. Mme Zimmermann toussota et poursuivit :

– Je l'ai recopié pour vous demander si vous comprenez ce qu'il signifie. Le voilà : «Les sens peuvent avoir d'autres sens. Ce que j'ai appris, c'est que le cœur est le siège de l'âme. L'âme est la vie. Et pour trouver la vie, il faut puiser au plus profond du cœur. »

Il y eut un nouveau bruissement de papier et Mme Zimmermann leur demanda :

– Alors ?

On entendit des murmures de perplexité, et l'un des assistants lança :

– On dirait une profession de foi. Elihu avait un côté mystique ?

– Pas que je sache, répondit Jonathan. Nous ne voyons pas non plus ce qu'il a voulu dire, Florence et moi. Elle a fait des copies de ce passage et on va vous les distribuer. Si vous trouvez la solution de l'énigme ou si vous pouvez nous démontrer qu'elle n'a pas de signification particulière, contactez-nous de suite. Et en attendant, mettons-nous tous au travail.

– Que voulez-vous qu'on fasse ? demanda quelqu'un.

– Tout d'abord, commença Mme Zimmermann, nous avons besoin d'une sous-commission pour étudier le journal de Jebediah. Howard, je crois que c'est vous et Walter qui connaissez le mieux ce genre de magie. Si vous pouviez tous les deux, avec Mildred, nous faire un rapport sur ce que vous avez compris, nous vous en serions tous très reconnaissants.

– En outre, ajouta Jonathan, nous avons besoin d'informations sur cette comète. Quand va-t-elle venir ? Que signifie sa venue ? Quel genre d'influence va-t-elle exercer ? Je vais me charger de cette enquête. Et enfin, nous devons continuer à surveiller la rivière Wilder. Nous sommes absolument convaincus, Florence et moi, qu'il y a là-bas quelque chose, sans pouvoir dire s'il s'agit d'un fantôme, d'un sorcier ou d'un esprit errant. Florence n'a pas décelé de sortilège magique...

– Alors il n'y en a pas, dit quelqu'un. Je fais entièrement confiance à Florence dans ce domaine.

– Moi aussi, poursuivit Jonathan. Mais deux précautions valent mieux qu'une, et je propose à tous ceux qui sont doués de seconde vue d'établir un roulement pour surveiller les lieux vingt-quatre heures sur vingt-quatre. Ayez l'œil sur vos boules de cristal ! On m'a dit que le dernier pilier du vieux pont serait retiré vendredi. S'il se produit un incident, il faut que nous le sachions immédiatement.

Il ne se passa pas grand-chose d'autre. Les assistants se partagèrent en petits groupes qui bavardèrent en dégustant les amuse-gueules. Pendant ce temps, Kévin et Emily se glissèrent à l'autre bout du passage secret, sortirent dans la cuisine et quittèrent la maison par la porte de derrière. La nuit tombait déjà. Ils marchèrent vers la rue du Château où habitait Emily.

– Nous aussi, nous avons de quoi faire, non ? dit Emily. On va les aider sans qu'ils le sachent.

– Tu ne trouves pas qu'on a déjà joué notre rôle en transmettant le journal à oncle Jonathan ? lança prudemment Kévin.

– On a encore des choses à faire, insista Emily. Avant tout, je veux me copier le mystérieux passage du testament d'Elihu pendant que je m'en souviens. On arrivera peut-être à le comprendre. Et on va monter la garde, exactement comme eux.

Kévin poussa un soupir légèrement excédé. Il était impossible de discuter avec Emily quand elle voulait prendre les choses en main. Ils arrivèrent chez elle où elle nota tout de suite le passage du testament. Puis ils allèrent s'asseoir dans le jardin derrière la maison. Venant du salon, on entendait la voix d'un journaliste commenter un match de boxe à la télé ou à la radio. Les grillons chantaient dans la nuit qui devenait de plus en plus noire. Kévin s'appuya contre le dossier de sa chaise et regarda longuement le ciel et les milliers d'étoiles. Quelque part, parmi elles, se cachait sans  doute la comète qu'on appelait l'Étoile rouge. Chaque seconde la rapprochait de la Terre, et qui sait quel désastre elle allait provoquer !

Non loin de là, au sommet d'une colline dominant New Zebedee, deux autres personnes observaient les étoiles. C'étaient Méphistophélès et Hermine Moote qui regardaient à tour de rôle dans le télescope.

– Elle arrive plus vite que nous ne pensions, Méphisto, dit la femme. Elle va être visible à l'œil nu dans les jours qui viennent.

– Ça ne fait rien ! bougonna le vieil homme d'une voix grincheuse. Ce maudit pont est presque démoli et nous aurons bientôt les mains libres. Même si ces fouineurs de l'association comprennent ce que va déclencher sa venue, il sera trop tard ! Dès qu'il sera libéré, personne n'osera s'opposer à nous !

La femme se recula et le vieil homme colla son œil à l'oculaire avec un ricanement triomphant. Le mécanisme du télescope faisait un tic-tac sonore comme celui d'une horloge. Au bout d'un petit moment, la femme lança :

– Au fait, pendant que tu faisais ta sieste, Ernest Boyd a téléphoné de Kalamazoo. Il paraît que cette

Mme Zimmermann a essayé de savoir où étaient passés les papiers de Jebediah.

– Tiens, tiens ! s'écria le vieil homme. Eh bien, je lui souhaite bonne chance ! Ceux qui n'ont pas été brûlés sont parfaitement cachés, et personne, pas même un cambrioleur, un magicien ou un sorcier, ne peut les trouver !

– Excepté un, lui objecta la femme. Le testament.

Méphistophélès Moote se redressa lentement du télescope.

– Et qu'est-ce que tu veux qu'elle y trouve, espèce d'idiote ! Elle verra simplement qu'Elihu a gaspillé l'argent qu'il avait si durement gagné en le distribuant aux veuves et aux orphelins ! Il n'y a rien dans son testament qui puisse nous faire du tort !

– Sauf le paragraphe que tu n'as jamais réussi à comprendre, insista sa femme. Ce passage qui parle de l'âme, de la vie et du cœur.

Avec un grognement de colère, Moote se retourna vers le télescope.

– Si elle est assez futée pour comprendre ce charabia, ça voudra dire qu'elle est plus intelligente que Méphistophélès Moote, ce qui m'étonnerait beaucoup ! Mais, dans ce cas, nous nous occuperons d'elle, ma chère...

Il eut un petit rire méchant.

– Les sorcières ne sont pas immortelles, tu sais. Elles peuvent passer de vie à trépas, comme tout le monde !

La femme éclata d'un rire rauque qui résonna dans la nuit.

– Oui, dit-elle, les sorcières ne sont pas immortelles, c'est sûr !

Chapitre 8

Le vendredi s'écoula paisiblement et Kévin se prit à espérer qu'il ne se passerait peut-être rien de grave. Le samedi, le journal annonça que la dernière partie du vieux pont avait été retirée. Il n'était apparemment rien arrivé aux ouvriers.

Ce même samedi, une camionnette de livraison s'arrêta devant le 100, rue Haute, et oncle Jonathan signa le récépissé d'une série de mystérieux colis dont l'un, très long, était plus grand que Kévin. Oncle Jonathan demanda à son neveu de téléphoner à Emily pour l'inviter à venir chez eux, et il attendit son arrivée pour déballer les cartons.

– Super ! s'exclama Kévin quand ils ouvrirent le plus long.

C'était un tube d'un blanc étincelant avec des bagues et un anneau de fixation métalliques noirs. Kévin comprit aussitôt de quoi il s'agissait.

– Un télescope !

– Et un bon, j'espère ! s'écria oncle Jonathan. Je l'ai payé assez cher ! Il a 200 mm d'ouverture et 160 cm de distance focale. Il y a aussi un chercheur, un piétement avec moteur électrique, des anneaux de montage et des oculaires grossissant de trente à cinq cents fois. J'ai pensé que... que faire un peu d'astronomie dans le jardin pourrait nous intéresser !

Ils passèrent un long moment à assembler les diverses parties de l'instrument. Alors qu'ils fixaient soigneusement le tube sur le trépied, Kévin dit à son oncle :

– Je crois que je sais pourquoi il y a un moteur. La lune, les étoiles et les planètes se déplacent dans le ciel, et le télescope doit les suivre pour les garder dans son champ d'observation.

– C'est la Terre qui bouge, rectifia Emily. Les étoiles ont l'air d'avancer parce que la Terre tourne sur elle-même.

Oncle Jonathan s'était agenouillé pour finir de tout installer. Il se releva et sortit de sa poche un grand mouchoir pour s'essuyer les mains, mais garda sur le nez une tache d'huile qu'il ne pouvait pas voir.

– Et voilà ! dit-il. Il est magnifique ! Si la nuit est suffisamment claire, nous ferons un essai ce soir.

Il tira sa montre en or de la poche de son gilet en ajoutant :

– Ce montage nous a pris presque tout l'après-midi ! Je me demande si notre vieille amie est chez elle. Emily, téléphone à Mme Zimmermann et demande-lui si elle aimerait venir voir une des merveilles du XXe siècle.

Emily se précipita vers le combiné et revint une minute plus tard en disant :

– Elle vient juste de rentrer de la bibliothèque. Elle arrive.

– Parfait, dit oncle Jonathan. Elle va être impressionnée, non ?

– Je crois qu'elle sera encore plus impressionnée si vous essuyez la tache d'huile que vous avez sur le nez, lui suggéra Emily.

Oncle Jonathan éclata de rire et se frotta le visage avec son mouchoir. Quelques instants plus tard, Mme Zimmermann entra sans frapper. Elle avait un dossier à la main et secoua la tête d'un air désapprobateur à la vue du télescope.

– Il a dû coûter une fortune !

– Je l'ai payé cher, c'est vrai, mais mon grand-père m'a laissé beaucoup d'argent ! C'est un bon investissement, lui expliqua Jonathan, et je suis très content de m'être fait ce plaisir. Tu as envie de venir observer les étoiles avec nous cette nuit ? Et ensuite, si vous êtes sages, je vous montrerai la bataille d'Aboukir pour votre plaisir et votre édification à tous !

Jonathan et Kévin décidèrent de placer le télescope au milieu du jardin pour bien voir le ciel. Emily et Mme Zimmermann les suivirent et les regardèrent se débattre pour installer correctement l'instrument. Les bras croisés sur la poitrine, Mme Zimmermann secoua la tête en disant :

– Si tu veux faire les choses sérieusement, Barbe folle, il va falloir le placer beaucoup plus haut pour que les arbres ne limitent pas ton champ d'observation ! Le mieux serait de percer le toit du château Barnavelt pour y installer une coupole et faire un observatoire !

– Je vais y penser ! dit joyeusement Jonathan. Je pourrais aussi acheter la maison d'Hawaï et transformer la pièce qui est en haut du toit ! Elle serait parfaite pour un télescope !

Kévin se demanda si son oncle plaisantait. La «maison d'Hawaï», qui se trouvait à quelques rues de chez eux, avait été construite vers 1800 par un représentant du gouvernement des États-Unis aux îles Sandwich – ce qui était le nom des îles Hawaï à l'époque. Il avait passé là-bas de nombreuses années avant de prendre sa retraite à New Zebedee où il avait édifié une magnifique demeure de style tropical. Et celle-ci comportait une sorte de chambre à claire-voie au sommet du toit. La nuit, à Hawaï, la chaleur était telle qu'il était très agréable d'y dormir, alors que sous le climat du Michigan, on ne pouvait l'utiliser que deux ou trois mois par an. On racontait d'ailleurs que cet original y était mort de froid une nuit de janvier où il avait voulu y dormir.

Ils examinèrent le télescope pendant un moment et, après avoir expliqué à Mme Zimmermann le fonctionnement du moteur électrique, Jonathan lui montra comment on glissait les oculaires dans leur tube. Puis il dirigea l'appareil vers le faîte d'un arbre éloigné et ajusta le chercheur, une sorte de télescope miniature fixé sur le grand tube. Il était très facile à orienter et, lorsqu'il était pointé vers un corps céleste, le télescope montrait la même chose. En regardant dans l'oculaire 60 × qui divisait par soixante la distance de l'objet observé, Kévin fut stupéfait de voir comme chaque feuille apparaissait claire et nette. Mais il constata que l'image vue dans le télescope était à l'envers et montrait l'arbre la tête en bas.

– C'est parce que c'est un télescope astronomique, lui expliqua son oncle. Il renverse l'image et, quand tu y observes la lune, le nord est en bas et le sud en haut. Tiens, où est passée Emily ? demanda-t-il en regardant autour de lui.

– Je ne sais pas, s'étonna Kévin. Je vais la chercher.

Il courut vers la maison et faillit la bousculer en passant la porte de la cuisine.

– Où est-ce que tu étais ? s'exclama-t-il.

– Je suis allée aux toilettes, dit-elle à voix haute.

Mais elle lui chuchota aussitôt après :

– En fait, je suis allée voir ce qu'il y avait dans le dossier que Mme Zimmermann a apporté. Tu veux que je te le dise ?

Kévin se retourna et lança :

– On rentre une minute dans la maison, oncle Jonathan ! On va voir ce qu'il y a à la télé !

– D'accord, lui cria son oncle en agitant la main.

Kévin et Emily allèrent au salon où ils allumèrent la télé qui retransmettait un match de base-ball des Tigers de Detroit

– Je te trouve un peu sans-gêne ! dit Kévin à Emily.

– Je sais. Je ne suis pas fière de moi, mais j'ai pensé qu'il fallait le faire. Mme Zimmermann s'est renseignée sur les Clabbernong. Tu veux que je te dise ce qu'elle a trouvé ?

– Bien sûr.

Emily lui énuméra les documents que contenait le dossier en levant un doigt après l'autre.

– Premièrement, il y a la photocopie d'un article de journal sur la ferme des Clabbernong paru dans les années vingt. Des scientifiques pensaient à l'époque que la végétation était infestée par une moisissure qu'ils n'avaient pas réussi à identifier. Quant à l'acquéreur de la ferme, il est simplement parti en l'abandonnant. Deuxièmement, il y a une notice nécrologique datée de 1947 concernant Elihu Clabbernong. Elle dit seulement qu'il est mort d'une pneumonie à l'âge de quatre-vingt-quatre ans. Troisièmement, il y a une carte au nom de « Méphistophélès P. Moote, notaire » avec l'adresse d'un bureau à Kalamazoo.

Kévin fronça les sourcils.

– Ce n'était pas l'un des noms de l'étude notariale d'Elihu ?

– Je crois que oui. Il faut que nous enquêtions sur lui !

– Ce n'est peut-être pas la peine, soupira Kévin. Il ne s'est rien passé jusqu'à maintenant. Mieux vaut laisser la ferme tranquille et...

– Ce n'est pas l'avis de ton oncle, l'interrompit Emily. Et ce n'est pas le mien non plus !

– Mais qu'est-ce qui nous force à nous mêler de tout ça ? lança Kévin sur un ton lugubre.

Emily le regarda en secouant la tête d'un air compatissant.

– Écoute, si tu as trop peur pour m'aider...

– Je n'ai pas dit ça, protesta Kévin en comprenant qu'il ne servait à rien de discuter. Et qu'est-ce qu'il faudrait qu'on fasse d'après toi ?

– Des tas de choses, répondit Emily. Voir si ce notaire du nom de Moote sait quelque chose. Comprendre ce que veut dire le passage du testament d'Elihu Clabbernong. Essayer de savoir si quelqu'un a décrypté le charabia du journal de Jebediah. Et tout surveiller.

– Bon d'accord, acquiesça Kévin. Mais je voudrais que tu me promettes une chose : si on ne découvre rien d'ici la semaine prochaine, on oubliera toute cette histoire. Tu veux bien ? On ne va pas y passer notre vie, quand même !

– Tu en as déjà assez ? s'écria Emily en lui grimaçant un sourire. Allez, Kévin, j'ai aussi peur que toi, tu sais ! Mais ce n'est pas pour ça qu'on va laisser nos amis en plan !

– Tu n'as sûrement pas aussi peur que moi, grommela Kévin. Je suis sûr que c'est impossible.

Tout se passa relativement bien ce soir-là. Après avoir déclaré d'un air faussement bougon que ses dîners du samedi soir semblaient devenir une habitude, Mme Zimmermann leur prépara un délicieux repas : un poulet rôti très tendre, des épis de maïs frais incroyablement sucrés, un grand plat de petits pois vert vif recouverts d'une sauce crémeuse, des petits pains maison croustillants et, en dessert, une tarte aux pommes sortant du four accompagnée de glace à la vanille ! Kévin et Emily s'offrirent à faire la vaisselle, et Jonathan sortit dans le jardin pour préparer le télescope pendant que le soleil se couchait et que la nuit tombait.

Lorsque Kévin, Emily et Mme Zimmermann sortirent le rejoindre dans le jardin, quelques étoiles scintillaient déjà dans le ciel. La lune avait dépassé son premier quartier et Jonathan orienta le télescope dans sa direction.

– Tu veux voir à quoi ressemble un autre monde, Kévin ? lui demanda-t-il.

En plissant un œil pour regarder dans l'oculaire, Kévin vit la surface grise de la lune qui brillait par endroits d'un blanc éclatant. Les cratères formaient des taches sombres dont la bordure déchiquetée était d'un noir d'encre, et les contours de cette lune agrandie vibraient légèrement. Kévin la trouva magnifique.

Emily la regarda à son tour, puis laissa la place à Mme Zimmermann.

– Très jolie ! s'écria-t-elle. Il n'y a pas de planète dans le coin ?

– Si, si ! répondit Jonathan. Il faut que je fasse quelques réglages.

Il réorienta le tube du télescope, regarda dans le chercheur et manipula quelques molettes.

– Regardez-moi ça ! s'exclama-t-il.

Kévin s'approcha de nouveau le premier et vit un disque pâle cerné d'une mince anneau blanc.

– Saturne !

– Bravo ! dit Jonathan d'une voix tonitruante. Mais tu monopolises un peu l'oculaire, non ? ajouta-t-il en riant.

Après qu'ils l'eurent tous regardé, Jonathan leur demanda :

– Quelqu'un veut voir autre chose ?

– Il n'y aurait pas une comète dans le ciel en ce moment? lança Emily d'un air faussement innocent.

Kévin sentit une sorte de courant d'air glacé, et Jonathan toussa avant de répondre :

– Si, il y en a une. Mais je dois faire un autre réglage car on ne peut pas repérer une comète avec le chercheur. Je vais voir si je peux la trouver.

Il tripota les boutons, regarda dans l'oculaire et refit la mise au point.

– Tenez, je crois que c'est elle, finit-il par dire.

 Kévin vit une étoile un peu floue avec un centre rouge vif. Puis il comprit que ce contour imprécis était en réalité sa chevelure, la partie de sa queue qui entourait le noyau glacé. Il distinguait même maintenant cette queue qui jaillissait de la lueur rouge centrale, mais que l'image montrait de biais.

– Comment s'appelle-t-elle? demanda-t-il.

– Elle n'a pas encore de nom, répondit son oncle. Seulement un numéro. Si les journaux disent vrai, nous la verrons à l'œil nu la semaine prochaine. Elle file vers nous à toute allure.

Quand tout le monde eut regardé la comète, oncle Jonathan ajouta :

– Il se fait tard, dites-moi. Je crois que nous allons reporter notre grand spectacle à lundi. Le 4 juillet[1] mérite bien quelques salves d'artillerie !

Kévin acquiesça d'un air inquiet. Il était clair que son oncle redoutait quelque chose.

Et ce n'était pas fait pour le rassurer.

Le lundi soir, à la tombée de la nuit, oncle Jonathan se prépara à jeter le sort qui faisait apparaître son spectacle d'illusions. Il avait rangé le télescope et le mobilier de jardin, et s'était placé au milieu de la pelouse. Côte à côte, Mme Zimmermann, Kévin et Emily attendaient derrière lui. Il leva sa canne et l'agita mystérieusement. Un nuage tourbillonnant se condensa instantanément comme par magie. Pendant un instant, Kévin ne distingua rien. Puis les bancs de brume se dissipèrent en tournoyant, et le vent rabattit des embruns salés sur son visage. Ils étaient contre le bastingage d'un ancien navire à voiles. Sous ses pieds, Kévin sentait monter et descendre le pont du bateau qui fendait les vagues. On apercevait çà et là d'autres

---

1. Le 4 juillet est la fête nationale de l'Indépendance aux États-Unis *(N.d.T.)*.

lumières de navires, mais on n'entendait pas de tirs. La bataille n'avait pas encore commencé.

– Nous sommes à bord d'une frégate de l'escadre de Nelson, la nuit du 1er août 1798, déclara Jonathan d'un ton solennel. Notre bâtiment de guerre a été envoyé par Nelson dans la baie d'Aboukir, en Méditerranée, près de l'embouchure du Nil. Nous nous approchons discrètement pour attaquer la flotte française, et je voudrais que vous gardiez un œil sur le bâtiment français nommé *L'Orient*, car à minuit, il va...

Ce que ce bateau allait faire, Kévin ne le sut jamais. Le pont tangua, s'inclina, plongea, et ils faillirent tous perdre l'équilibre. Pris de panique, Kévin pensa qu'ils avaient heurté un rocher.

Soudain, une sinistre lumière rouge baigna toute la scène. Kévin leva les yeux et vit qu'elle venait de la comète – qui n'avait plus rien à voir avec l'image vue dans le télescope. Juste au-dessus de leur tête, son noyau brillait avec autant d'éclat que la pleine lune, et sa longue queue s'étirait sur la moitié du ciel.

– Hé, Jonathan ! s'écria Mme Zimmermann. Qu'est-ce que tu...

– Je ne comprends pas ce qui se passe ! l'interrompit Jonathan qui agitait sa canne en vain. Vite, il faut que tu m'aides, Florence !

Kévin sentit qu'Emily lui attrapait le bras. Leur bateau ne naviguait pas dans une baie. Il n'y avait pas d'autre navire en vue. La mer agitée était déserte et paraissait rouge sang sous la lueur de la comète. Quelque chose émergea sur bâbord, juste en face d'eux.

Le souffle coupé, Kévin vit surgir une énorme pieuvre à la surface de l'eau. Elle tordait ses tentacules qui, dans cette lumière, semblaient d'un grenat luisant rappelant l'aspect visqueux d'une tranche de foie cru. N'en croyant pas ses yeux, il vit l'animal se soulever encore plus haut, ruisselant d'une eau rouge sang qui retombait dans la mer. Fou de terreur, Kévin s'entendit hurler.

Ce monstre qu'il avait pris pour une pieuvre n'était pas un animal.

C'était l'horrible tête d'une gigantesque forme humaine !

Une forme dont la poitrine fendait l'eau en se dirigeant droit sur eux !

Chapitre 9

D'une voix stridente, Mme Zimmermann psalmodia une formule magique. Des éclairs violets dansèrent tout autour du bateau et, comme de l'eau s'écoulant dans un trou, leur lumière pénétra dans le corps du monstre.

Kévin ne pouvait détacher les yeux de cette scène stupéfiante. Le géant semblait grossir, plus menaçant que jamais.

– Ça ne marche pas ! cria Kévin.

Au même instant, la créature poussa un hurlement. Kévin vit que les tentacules formaient une horrible moustache, sous laquelle venait de s'ouvrir une bouche monstrueuse. Ses dents étaient pointues comme celles d'un requin et son cri était une sorte de rugissement strident et modulé.

– Accrochez-vous ! leur cria Mme Zimmermann. La magie le renforce et je ne peux pas le combattre ! Je vais essayer de rompre ton sort, Jonathan, et tu sais ce qui se passe quand on mélange des pratiques magiques ! Tiens bien Kévin et Emily !

Kévin sentit la main de son oncle sur son épaule et il attrapa le bras de Jonathan. Il aurait voulu fermer les yeux pour ne plus voir ce monstre, mais la peur l'empêchait de le faire. La créature tendait vers eux des bras couverts d'écailles et des doigts palmés avides. Une odeur répugnante de poisson pourri en émanait. Kévin vit à peine Mme Zimmermann faire quelques gestes et agiter les bras...

Soudain, une terrible secousse lui coupa la respiration. Il avait l'impression d'avoir été frappé par la foudre. Une sensation de chute libre lui souleva le cœur et – *bang !* – il tomba brutalement sur le sol.

Le sol.

Pas le pont d'un navire !

Il vit qu'il était à plat ventre sur une pelouse. Il sentait l'odeur de l'herbe dont les brins lui chatouillaient les mains et les joues. Son oncle était agenouillé à côté de lui. Kévin leva la tête, cligna des yeux, et vit que l'horrible lueur rouge avait disparu. Les grillons chantaient autour d'eux. Ils étaient de retour dans leur jardin derrière la maison.

– Tout... tout le monde va bien ? demanda oncle Jonathan d'une voix rauque, l'air hébété.

– Moi ça va, répondit Emily.

– Je... je crois que oui, dit Kévin en même temps qu'elle.

Mme Zimmermann était debout à quelques pas de là, mais elle chancelait.

– Rentrons dans la maison, murmura-t-elle d'une voix faible, l'air complètement épuisé.

Ils partirent tous en titubant vers la cuisine. Kévin eut un choc en voyant Mme Zimmermann s'écrouler dans un fauteuil, extrêmement pâle. Ses cheveux, qui n'étaient jamais très bien coiffés, étaient carrément ébouriffés et retombaient en mèches autour de son visage. Son teint était presque cireux et de grands cernes noirs s'étalaient sous ses yeux. Oncle Jonathan lui apporta un verre d'eau qu'elle but avidement.

– Ça va, Florence ? lui demanda-t-il d'une voix anxieuse.

Elle hocha la tête en soupirant.

– Je crois que oui. Je n'avais pas mon parapluie, ce qui me privait déjà de la moitié de mon pouvoir. Et cette... cette créature a englouti tout le reste ! Si j'avais essayé de la contrer avec un autre sort, je crois que cet effort m'aurait tuée.

– Mais c'était quoi ? demanda Emily. Et nous étions où ?

Oncle Jonathan secoua la tête.

– Je n'en ai pas la moindre idée, Emily. Nous n'étions peut-être même pas sur Terre ! Sur une autre planète, peut-être, ou alors dans un autre temps... Quelque chose a détourné mon sort. Il était censé créer une simple illusion, et les illusions ne peuvent nous faire de mal. Mais ce monstre était réel, lui.

– Réel... et très étrange, ajouta Mme Zimmermann. Il n'était pas simplement immunisé contre la magie. On aurait dit qu'il l'absorbait et qu'il s'en repaissait. Je n'ai jamais entendu parler d'une chose aussi incroyable !

– Est-ce... est-ce que ça s'était déjà produit ? demanda Kévin. Je... je veux dire, que ça tourne mal quand vous créez des illusions, oncle Jonathan ?

– Cela ne m'était jamais arrivé, affirma Jonathan. On va réfléchir à tout ça, Mme Zimmermann et moi, ajouta-t-il en fronçant les sourcils. Je vais commencer par jeter un œil aux romans de H. P. Lovecraft. Ce sont des livres de fiction mais, si ma mémoire est bonne, il décrit exactement ce genre de créatures.

– J'aurais préféré que cela reste de la fiction, marmonna Emily. Je suppose que la bataille d'Aboukir est annulée ?

– Je crois que oui, du moins pour le moment. Désolé de vous avoir déçus, les enfants.

– Ce n'est pas grave, assura Kévin. Je... je devrais peut-être raccompagner Emily chez elle ?

– Oui, c'est une bonne idée, acquiesça Jonathan. Tout semble redevenu normal et je crois que vous ne risquez rien. Pendant ce temps, Mme Zimmermann et moi, nous allons réfléchir ensemble à ce qui s'est passé. Faites bien attention tous les deux !

Emily lui fit un pâle sourire.

– D'accord, dit-elle.

– Je suis désolé, répéta Jonathan.

– Vous nous aviez promis un beau spectacle et, dans un sens, vous avez tenu parole, non ? dit Emily en haussant gentiment les épaules.

La maison des Pottinger était à quelques minutes de marche. En chemin, ils entendirent au loin les crépitements du feu d'artifice et des pétards qui étaient lancés du terrain de sport. C'était les festivités organisées par la chambre de commerce pour le 4 juillet. Mais ces explosions lointaines paraissaient dérisoires à Kévin en comparaison de ce qu'il avait vu.

– Merci de me raccompagner, dit Emily. C'est courageux de ta part.

Kévin se sentit un peu embarrassé.

– Oncle Jonathan et Mme Zimmermann avaient besoin de discuter tout seuls.

Il regarda autour de lui en frissonnant. La lune était presque pleine, mais sa lumière argentée ne faisait que rendre les ombres encore plus noires et plus mystérieuses.

– Je suis content de t'avoir ramenée chez toi. Mais, pour te dire la vérité, je crois que le trajet du retour, je vais le faire en courant !

Emily pressa le pas en tournant dans la rue du Château. Ils passèrent sous la lumière jaune d'un réverbère et levèrent la tête : des papillons de nuit tournoyaient autour de l'ampoule comme de petites planètes affolées gravitant autour d'une étoile. Emily lança un coup d'œil à Kévin.

– Tu ferais bien de venir demain matin. Il faut qu'on continue notre enquête.

— Je sais, marmonna Kévin.

Il n'en avait aucune envie, mais sentait qu'il devait le faire.

— Je viendrai de bonne heure, ajouta-t-il.

Ils ne se dirent rien d'autre. En arrivant devant chez elle, Emily lui souhaita bonne nuit et se dépêcha d'entrer.

Kévin repartit en sens inverse. Autour de lui, la nuit semblait menaçante, comme si des êtres maléfiques le guettaient dans l'ombre. Il se rappela l'horrible puanteur de la créature monstrueuse et l'eau rouge sang qui ruisselait sur ses tentacules.

Il marchait de plus en plus vite et se mit soudain à courir. Dans l'immensité de la nuit, les lampadaires formaient de petits îlots de lumière jaune, et Kévin courait de l'un à l'autre aussi désespérément qu'un nageur essayant d'atteindre la terre ferme sans se noyer. Sa respiration se fit plus rauque en grimpant la côte. Toute son attention était concentrée sur sa maison en haut de la rue.

Il ne remarqua pas la vieille Buick noire inconnue garée dans la descente en face de chez lui, le long du jardin des Hanchett.

Il ne vit pas non plus le regard plein de haine et de colère que lui lancèrent ses deux occupants.

– C'est qui, ce gosse ? grommela Méphistophélès Moote. Je croyais que Barnavelt était célibataire.

– Comment veux-tu que je le sache, idiot ? lui répondit sa femme d'un ton hargneux. Je ne connais personne dans cette maudite ville. Nous n'avons pas déménagé ici pour nous faire des amis, tu le sais bien !

– Tais-toi, tais-toi, grogna l'homme. Bon, c'est de là que la magie est partie. Je l'ai tout de suite sentie ! Elle a percé une trouée dans une autre dimension, et un des Grands Anciens s'est réveillé. C'est à cause de l'Étoile rouge ! Elle sera visible à l'œil nu la semaine prochaine, quand la lune sera décroissante.

Mme Moote l'approuva de la tête, puis ajouta :

– Presque toute cette magie a dû passer dans l'autre dimension, mais je suis sûre qu'il en est resté un peu ici. Et si elle avait atteint l'emplacement du vieux pont ? Elle a peut-être réveillé notre ami ! On devrait aller voir sur place.

– Tu as raison. Il se pourrait bien qu'elle lui ait rendu sa conscience. Dépêche-toi ! cria-t-il. Dépêche-toi ! Allons-y de suite !

La femme desserra le frein et laissa rouler la voiture dans la descente pour s'éloigner silencieusement de la maison des Barnavelt. Puis elle fit démarrer le moteur un peu plus bas, traversa la ville, et se dirigea vers le sud. Quelques minutes plus tard, elle se gara sur le bas-côté près du nouveau pont de la rivière Wilder.

Ils descendirent tous les deux de voiture et, en s'appuyant sur sa canne, Méphistophélès Moote s'avança sur le talus bordant la rivière et se mit à flairer l'eau qui coulait environ trois mètres plus bas.

– J'avais raison ! Le voilà ! Il arrive !

Sa femme le rejoignit. Épaule contre épaule, ils regardèrent la surface de l'eau qui bouillonnait de bulles irisées luisant faiblement sous le clair de lune.

– Il est trop tôt, dit la femme. Tes calculs disaient qu'il ne s'éveillerait pas avant la pleine lune, demain soir.

– Tais-toi, idiote ! répliqua-t-il d'une voix éraillée. Tu n'as pas compris que la magie a accéléré les choses ? Si elle lui a donné des forces, il va venir maintenant... Regarde ! Regarde-le !

Une forme venait d'émerger de l'eau. Une forme arrondie d'environ un mètre de diamètre, gris pâle et blanc, striée de veines rouges et violettes qui palpitaient sous les yeux du couple fasciné. Sa consistance n'était pas ferme et ressemblait à de la gélatine. Une fente d'une trentaine de centimètres apparut à sa surface. Elle s'entrouvrit et, soudain, un œil énorme d'un vert jaunâtre les regarda. Un autre surgit et, bizarrement, une bouche poisseuse s'ouvrit entre eux.

– Je me réveille, déclara la créature d'une voix pâteuse.

Les yeux et la bouche s'étirèrent horriblement et d'autres formes se dessinèrent dans cette chair étrange. Un bras apparut, mais au bout, en guise de main, dix tentacules d'une trentaine de centimètres se tortillaient. Le monstre se traîna jusqu'à la rive et se hissa péniblement hors de l'eau.

Méphistophélès Moote se laissa tomber sur ses genoux décharnés.

– Seigneur ! s'écria-t-il d'un air émerveillé. Vous voilà enfin !

– Je suis f… faible, soupira la lourde masse de chair.

Elle se traînait sur la rive au pied du talus où était agenouillée la silhouette de Moote.

– N'ayez crainte, vous allez prendre des forces, dit Mme Moote en posant la main sur l'épaule de son mari. Nous allons vous donner de la magie pour vous alimenter !

– Et… et quoi d'autre ?

– Et des vies, s'empressa d'ajouter Méphistophélès Moote. Des tas de vies.

– Des âmes, susurra la femme. Autant d'âmes
que vous voudrez !

Le monstre garda le silence un instant avant de
brailler brusquement :

– J'ai faim ! J'ai faim !

Il s'enfla et prit soudain une
forme quasi humaine. Une
forme humaine de trois mètres
de haut dotée de jambes
courtes et épaisses se termi-
nant par des renflements plats
et arrondis, et de deux bras qui
ressemblaient beaucoup aux tentacules d'une pieuvre.

Et il se mit à grimper vers les Moote.

Ses traits ne cessaient de se transformer. Il avait
maintenant un œil vert de dix centimètres de large
en haut du front. L'autre, nettement plus petit et
rouge, était à l'emplacement de son oreille droite.
Sa bouche était un trou s'ouvrant sur un abîme de
ténèbres.

– J'ai faim ! hurla-t-il en se dressant de toute sa
hauteur au-dessus des Moote, ruisselant et dégou-
linant sous le clair de lune. J'ai faim !

Et le monde entier retint son souffle dans la nuit.

Chapitre 10

Le mercredi soir, il y eut chez Jonathan Barnavelt une nouvelle réunion de l'Association des magiciens du comté de Capharnaum. Mais, cette fois, Kévin et Emily ne purent écouter ce qui se disait. Avant qu'ils ne puissent se glisser dans le passage secret, Mme Zimmermann emmena un groupe de magiciens dans la cuisine pour leur parler de la sinistre créature que ses pouvoirs magiques n'avaient pu combattre. Les autres étaient dans le bureau où ils remettaient leurs rapports à Jonathan.

Les deux entrées du passage secret étant inaccessibles, Kévin et Emily tinrent leur propre conseil de guerre dans le jardin derrière la maison.

– Tu as lu le journal aujourd'hui? demanda Emily.

– Pas encore. Pourquoi?

– Il y a un article en page deux sur un phénomène que nous connaissons bien, lui annonça Emily d'un ton lugubre. Lundi, pendant la nuit, une bande d'herbe s'est complètement desséchée et est devenue toute grise sur une rive de la rivière Wilder.

Kévin la regarda. Ils étaient assis sur les sièges du jardin et, dans la nuit tombante, une chaude lumière dorée venant de la cuisine illuminait le visage de son amie.

– Comme à la ferme Clabbernong, murmura Kévin.

– Exactement. Le représentant du comté dit qu'il s'agit probablement d'un champignon, mais nous, nous savons ce qu'il en est. Et le pire, c'est que la trace se dirige vers la ville...

Kévin serra fortement ses mâchoires pour empêcher ses dents de claquer. La nuit était claire et tiède, et les grillons chantaient autour d'eux. Tout semblait normal et paisible. Kévin essaya de se détendre.

– Je me demande qu'est-ce qui a bien pu faire ça.

– De toute manière, cette chose... Oh, mon Dieu!

Appuyée contre le dossier de la chaise, Emily regardait fixement le ciel.

Kévin suivit son regard et sentit brusquement des milliers de fourmis lui parcourir le corps. Tout là-haut, parmi les étoiles, il venait de voir l'Étoile rouge. Elle était beaucoup moins brillante que dans le télescope et sa queue ne formait qu'un petit plumet, mais il la distinguait parfaitement.

– Le temps presse, murmura-t-il.

– C'est clair, l'approuva Emily. Écoute, tu te souviens de ce qu'a dit ton oncle sur cet écrivain qui s'appelle Lovecraft ? Figure-toi que j'ai parcouru plusieurs de ses livres à la bibliothèque. Je ne sais pas d'où il tient tout ça, mais il parle de Grands Anciens et de toutes sortes de choses horribles et bizarres que personne n'a jamais vues. Et tu sais quoi ? Quand j'ai signé mon nom sur la carte de la bibliothèque, j'ai regardé qui avait consulté ces livres juste avant moi.

– C'était qui ? lui demanda Kévin sans être tout à fait sûr de vouloir le savoir.

– Une certaine Mme Moote. Et j'ai trouvé où elle habite. Sa maison est rue du Pré, une rue qui donne sur la route de la rivière Wilder.

– Elle est sûrement mêlée à tout ça. Mais qu'est-ce qu'on peut faire ?

Emily soupira.

– Je n'en sais rien. Et je crois qu'on ferait mieux de rentrer à l'intérieur. Cette comète émet peut-être des rayonnements nocifs qui ne sont pas bons pour la santé.

– Non, je ne crois pas. Les comètes reflètent seulement la lumière du soleil.

Emily renifla.

– Tu as sans doute raison, mais je sens que celle-là me fait du mal. Je ne me sens pas bien, je t'assure.

En voulant se lever, Kévin eut une sensation extrêmement bizarre, comme si une ampoule de flash s'était brièvement allumée dans son cerveau.

– Que disait le passage du testament d'Elihu ? demanda-t-il lentement.

– Je le sais par cœur, lui répondit Emily. «Les sens peuvent avoir d'autres sens. Ce que j'ai appris, c'est que le cœur est le siège de l'âme. L'âme est la vie. Et pour trouver la vie, il faut puiser au plus profond du cœur.» Je crois que le vieil Elihu était un peu fêlé !

En faisant des efforts désespérés, Kévin ferma les yeux. Il se sentait si près... il l'avait sur le bout de la langue... mais l'idée confuse s'était enfuie.

– J'ai cru que j'allais comprendre ce qu'il voulait dire, expliqua-t-il. Sens et autres sens. Double sens ?

– Qu'est-ce que tu dis ?

Kévin secoua la tête.

– Je ne sais pas. J'ai la tête vide maintenant.

– Cela va sûrement te revenir, lui dit Emily. Demain, on ira repérer la maison de cette Mme Moote. La clé est peut-être là-bas.

– Ne prenons pas de risques ! lança Kévin d'un air inquiet.

– Ne crains rien, le rassura Emily, nous ferons très attention.

Le jeudi matin, le temps était nuageux. Il y avait de l'orage dans l'air, mais il ne pleuvait pas et, à 9 heures, Kévin et Emily partirent à vélo. Le trajet n'était pas très long. À un kilomètre et demi du centre-ville, ils tournèrent à droite dans une petite rue étroite dont le nom n'était pas indiqué. Sur le plan, elle s'appelait rue du Pré.

Les maisons étaient très espacées. C'étaient de petits pavillons et des maisonnettes en bois qui, se dit Kévin, devaient abriter des personnes à la

retraite. À l'arrière, la plupart d'entre elles avaient un potager, mais l'un d'eux, envahi de mauvaises herbes, était parsemé d'une douzaine de taches grises rappelant la végétation de la ferme Clabbernong. Emily n'eut même pas besoin de dire à Kévin que c'était sûrement celui des Moote. Une vieille Buick noire était garée à côté d'un grand cèdre devant leur maison. Emily continua de pédaler et tourna dans un petit sentier qui menait à un ruisseau. De chaque côté, l'herbe était plus haute que Kévin.

Ils s'arrêtèrent au bord du petit cours d'eau.

– Et maintenant ? demanda Kévin.

– On va les surveiller, répondit Emily en écartant prudemment les hautes herbes.

De là, ils pouvaient observer la maison.

– On devrait pouvoir se rapprocher sans se faire voir.

– Je ne crois pas que ce soit une bonne idée, murmura Kévin.

Mais Emily se glissait déjà sans bruit devant lui, courbée en deux. Elle avançait avec précaution, en remuant le moins possible les grandes tiges. Kévin la suivit en espérant qu'il n'y aurait pas de serpents dans cette forêt vierge. Ils se faufilèrent ainsi de plus en plus loin et finirent par se retrouver tout près d'une fenêtre ouverte. Kévin entendit deux voix qui se disputaient : celle d'un vieil homme grincheux, et celle d'une femme, rauque et légèrement voilée.

La femme était en train de dire :

— Bien sûr qu'il ne se rappelle pas qu'il est Jebediah Clabbernong, espèce d'idiot ! L'Autre prend trop de place dans son corps. Et il est resté tant d'années prisonnier de ce terrible pont à cause de son maudit neveu !

— Mais je ne veux pas me transformer si je ne me souviens de rien ensuite ! glapit le vieil homme. Ça servirait à quoi ? Ce serait comme mourir, et je ne veux pas mourir !

— Toi, tu t'en souviendras, lui assura la femme. Parce que ton corps n'aura pas été incinéré avant la transformation ! Et parce qu'il ne restera pas coincé plus de soixante ans au fond d'une rivière pendant que l'Autre absorbe chaque particule de ton cerveau ! Toi, tu seras toujours Méphistophélès Moote et tu auras juste un nouveau corps, une autre chair, comme notre ami !

Kévin se pencha vers Emily et lui chuchota :

— De quoi parlent-ils ?

Emily secoua la tête. Elle ne savait pas.

— Bof ! grogna le vieil homme. J'ai bien envie de tout laisser tomber !

– Quoi ! s'écria la femme. Changer d'avis maintenant, alors que l'Étoile rouge brille dans la nuit ?

Kévin et Emily échangèrent un coup d'œil. « On rentre à la maison pour tout leur raconter ? », articula silencieusement Kévin.

Emily fronça les sourcils et lui fit signe de se taire. « Attends, écoutons la suite », voulait dire son geste.

La femme se mit à hurler.

– Tu es devenu fou ? Tout ce qu'il nous reste à faire, c'est amener la bande d'amis de ce Barnavelt à combattre notre petit chéri avec leurs sortilèges magiques – et plus ils seront puissants, plus ils le fortifieront ! Ces idiots ne s'en rendront même pas compte et ils continueront jusqu'à ce qu'il soit assez fort pour ouvrir la porte aux autres Grands Anciens !

– Et ceux-ci sortiront de la comète, marmonna le vieil homme. Oui, oui, Hermine, je sais tout ça ! Bon, quand va-t-il falloir les attaquer ?

– Bientôt ! répondit la femme. Dès que possible ! Il y a un petit problème, tu le sais. La partie de lui que Jebediah a voulu conserver séparément, Elihu l'a si bien cachée qu'on ne l'a pas retrouvée ! Mais je suis sûre qu'il ne l'a pas détruite, car il en savait assez pour comprendre qu'on ne pourrait s'en occuper que lorsque l'Étoile rouge brillerait. Et c'est là qu'est le problème, parce que cette partie est suffisamment humaine pour que la magie puisse l'affecter.

Kévin sentit qu'Emily lui serrait le bras. Il était penché en avant, conscient de tout – du chatouillement des herbes sur sa joue, de la lourdeur oppressante de ce temps orageux, de la voix stridente de la femme. La tête lui tournait. Quel était exactement le problème dont elle parlait ?

– Qu'est-ce que tu veux encore faire ? demanda l'homme. Retourner dans cette sacrée ferme et repasser au peigne fin chaque pouce de terrain ? À cause de la comète, les animaux qui y sont morts en 1885 s'y baladent à nouveau, tu le sais. Et ils puent ! Berk !

– Non, non ! cria la femme. J'ai renoncé à chercher cette cachette. Maudit soit Jebediah et ce sort qui a séparé son âme de son corps ! Non, ce qu'il faut faire, c'est vérifier que ce que, *nous*, nous avons caché est toujours sur place. Il ne doit sortir qu'à la lumière de la comète. Je crois qu'on devrait s'en assurer.

– J'en ai assez d'aller à la station hydraulique toutes les cinq minutes ! cria l'homme. Si tu y tiens tellement, tu n'as qu'à y aller toute seule ! Je vais me reposer.

– Il n'en est pas question. Il faut que je te surveille. Nous ne nous séparerons pas tant que nous ne serons pas transformés tous les deux. Je te connais ! Tu es assez égoïste pour le faire sans moi !

Le vieil homme devait avoir quitté la pièce car on n'entendait plus qu'un marmonnement furieux qui s'éloignait. Un instant plus tard, une porte claqua, et tout devint silencieux. Emily repartit en sens inverse, toujours courbée en deux, et Kévin la suivit jusqu'aux bicyclettes.

– Suis-moi, dit-elle.

– Où ça ? demanda Kévin. Est-ce qu'on ne devrait pas rentrer pour raconter...

– Pas encore, l'interrompit Emily. Ces deux fous ont dissimulé quelque chose et on va enquêter sur place.

– À la station hydraulique ? demanda Kévin.

– Oui. Suis-moi, répéta Emily en montant sur sa bicyclette.

Kévin pédala derrière elle vers la ville où ils prirent la rue de l'Épicéa. Sur une petite éminence, il y avait quelques terrains à vendre, ainsi que la station hydraulique de la ville, un grand bâtiment de brique où bourdonnaient des machines. Juste à côté, le réservoir, un vaste bassin arrondi, était protégé par un haut grillage. En face s'étendait un parc verdoyant où serpentait un cours d'eau. Quelques familles y pique-niquaient, et des enfants s'entraînaient au base-ball.

– Je ne vois rien, dit Kévin, et je crois que nous ferions mieux de rentrer pour...

Emily sauta de sa bicyclette et se pencha en avant.

– Regarde ça.

Elle pointait le sol du doigt. Kévin sursauta en voyant des traces dans l'herbe. Des traînées grises de végétation desséchée et friable.

– Les traces mènent vers le pont, reprit Emily. Allons-y.

La passerelle en brique qui enjambait le cours d'eau reposait sur trois grandes arches. Kévin et Emily la traversaient en poussant leurs vélos quand une odeur répugnante leur souleva le cœur.

– Qu'est-ce qui pue comme ça ?

Emily se pencha sur la rambarde.

– Je crois que ça vient de là-dessous. Berk ! On dirait qu'une bestiole s'est traînée jusque-là pour y mourir !

172

Les deux amis se regardèrent. Kévin était sûr qu'ils pensaient à la même chose.

– Il faut qu'on aille voir ? demanda-t-il.

– Je crois que oui, répondit Emily en faisant la grimace.

Ils laissèrent leurs bicyclettes, revinrent sur leurs pas et descendirent en bas du talus. Les arches de brique étaient si hautes qu'ils pouvaient se tenir debout sous la première. Le cours d'eau faisait quatre ou cinq mètres de large. Debout sur la rive, Kévin et Emily regardaient l'eau passer entre les piliers. Elle avait la couleur sombre et verdâtre que donne la profondeur et, de temps à autre, des bulles d'écume jaune remontaient à la surface. On distinguait une masse noire, sans doute un rocher, à une trentaine de centimètres sous l'eau.

– Attends une minute, dit Emily.

Elle escalada le talus et revint avec une branche morte un peu mince, mais longue et souple.

– On va voir si elle est assez longue.

Elle s'approcha le plus près possible du bord, se pencha en avant et enfonça le bout de la branche dans l'eau. Elle était juste un peu trop courte.

– On s'en va ? proposa Kévin.

– Pas encore, murmura Emily. Tiens-moi la main, penche-toi en arrière et ne me lâche pas !

Kévin lui agrippa le poignet et Emily se pencha davantage. Cette fois, la branche toucha quelque chose.

– C'est un truc spongieux, annonça-t-elle. Ça ressemble à...

Elle piqua du nez si brutalement que Kévin crut qu'ils allaient tous les deux tomber à l'eau. Il la tira en arrière au moment où elle lâchait prise, et ils s'écroulèrent sur la berge. Kévin vit la branche violemment fouetter l'air. Puis le tentacule qui l'avait saisie la jeta de côté et disparut sous la surface. Une forme grise toute bosselée, veinée de rouge et de bleu, émergea de l'eau.

Et un œil horrible s'ouvrit pour les regarder !

Chapitre 11

L e visage – si l'on peut dire – replongea aussitôt
sous l'eau tourbillonnante. Kévin et Emily se
relevèrent d'un bond et remontèrent le talus en trébuchant. Arrivés en haut, ils se retournèrent d'un
air anxieux, mais plus rien ne révélait la présence de
l'horrible créature. L'eau verte et lisse coulait paisiblement sans la moindre ride ni la moindre bulle.

Et pourtant, elle était forcément là. Et elle
pouvait réapparaître à tout moment.

– Allons-y, dit Kévin en montant sur sa bicyclette.

Au même instant, l'orage qui menaçait depuis le
matin éclata. Un énorme roulement de tonnerre

retentit et le vent se leva. En pédalant sur la passerelle, Kévin vit que tout le monde avait déserté le parc pendant les quelques minutes où Emily et lui étaient descendus sur la berge. La cime des épicéas et des sapins s'agitait sous les bourrasques et, au-dessus, les nuages déchiquetés filaient en tournoyant comme des flots de fumée noire. Un éclair fendit le ciel au-dessus de leur tête.

Kévin regarda par-dessus son épaule et vit qu'Emily était juste derrière lui. Le visage tout pâle, elle était penchée sur son guidon et brusquement, ses yeux s'écarquillèrent.

– Attention ! cria-t-elle.

Kévin tourna la tête. Il allait déboucher dans la rue, et la vieille Buick noire cabossée roulait le long du trottoir juste devant lui. Il freina de toutes ses forces, mais les roues patinèrent sur l'herbe. La sinistre voiture se rapprochait ! Après une dernière manœuvre désespérée, il fit une embardée, perdit l'équilibre et tomba de sa bicyclette. La chute lui sembla se dérouler très lentement, comme dans un cauchemar. Il vit l'herbe se rapprocher de son visage, une herbe verte dont il distinguait nettement le moindre brin.

Avec un affreux bruit sourd, sa tête heurta le sol, et le monde explosa dans une éblouissante lumière dorée. Il eut la vague impression de tournoyer sur lui-même avant de retomber sur le dos. Le choc sur la dure surface cimentée lui coupa le souffle. Il essaya de respirer, mais ses poumons ne voulaient plus fonctionner. Tout disparut. Pendant un instant, il se demanda s'il allait mourir.

Finalement, il réussit à inhaler un peu d'air dans une grande respiration tremblante. Puis il entendit un cliquetis métallique et vit Emily agenouillée au-dessus de lui.

– Ça va ? lui demanda-t-elle d'un air anxieux.

Quelle question idiote, pensa-t-il, mais il avait le souffle trop court pour parler. Il commençait à sentir la brûlure des écorchures sur ses genoux et l'élancement d'une bosse en haut du front. Une de ses mains lui faisait très mal.

Deux autres personnes étaient penchées sur lui. Il apercevait vaguement les contours de leurs silhouettes, mais l'image restait floue. Son oncle et Mme Zimmermann ? Non, un vieil homme et une vieille femme. Soudain, il entendit la voix grave et rauque de la femme et comprit qu'il s'agissait des Moote.

– Mon Dieu ! Vous avez fait une terrible culbute, jeune homme !

Kévin eut la chair de poule en l'entendant. S'il en avait eu la force, il se serait relevé d'un bond et enfui à toutes jambes. Mais il ne pouvait rien faire d'autre que rester couché par terre en s'efforçant de respirer.

Le vieil homme s'appuyait sur une canne et la femme s'était agenouillée à côté d'Emily.

– Nous devrions peut-être vous emmener chez nous, proposa Mme Moote. Nous pourrions téléphoner...

– *Non !* l'interrompit Kévin.

Il pouvait à peine respirer, mais il trouva la force de refuser.

– Euh, non merci. Ça va aller. C'est le vent qui m'a fait perdre l'équilibre, dit-il d'une voix faible et mal assurée qui semblait au bord des larmes.

– Vous êtes sûr, mon enfant ? demanda la femme en repoussant doucement les cheveux de Kévin pour voir son front.

Terrifié, Kévin s'attendait presque à ce que ce contact soit aussi froid que celui d'un serpent. Il ne savait pas si ses blessures étaient graves – il sentait en tout cas des éraflures et des contusions –, mais il avait du mal à ne pas pleurer.

– Je vais bien ! dit-il en s'efforçant de prendre une voix normale. J'ai déjà fait des chutes beaucoup plus graves, vous savez ! Ma sœur Nancy peut vous le dire.

– Ça, c'est sûr ! s'écria Emily.

Elle fronça les sourcils derrière ses lunettes rondes. Elle était nettement plus rapide que Kévin lorsqu'il s'agissait d'inventer une histoire.

– Une fois, quand il avait quatre ans, Billy est allé au cirque avec maman et papa, et il a vu un gros ours brun qui faisait du vélo : il arrivait à pédaler en levant la roue avant ou sans se tenir avec les mains, et il faisait même un numéro sur une corde raide ! Alors, en rentrant à la maison, Billy a essayé de faire pareil...

– Allez, viens, l'interrompit Kévin en se relevant et en se dirigeant vers sa bicyclette.

Il flageolait sur ses jambes et avait l'impression que le sol vacillait sous ses pieds.

– Maman et papa seront furieux si on se fait mouiller, et il va pleuvoir d'une minute à l'autre.

Il ramassa avec peine sa bicyclette qui ne semblait pas trop abîmée et se mit en selle.

– Merci ! ajouta-t-il en s'élançant.

Il sentait maintenant que ses genoux et la paume de sa main gauche étaient bien entaillés. Sa chute avait troué les jambes de son jean, et le sang tiède coulait le long de ses tibias. Mais il ne serait pas resté auprès de Méphistophélès et d'Hermine Moote pour un empire...

Emily accéléra pour arriver à sa hauteur.

– Tu ne t'es pas fait trop mal ? C'était une sacrée chute !

– Ça va aller, je crois, dit Kévin d'une voix haletante.

La douleur lui arrachait des larmes et il les sentait couler sur ses joues, refroidies par le vent.

– Il faut qu'on raconte tout ça à oncle Jonathan.

– Et si on écrivait un autre mot anonyme ? suggéra Emily. Tu n'as qu'à dire à ton oncle que tu es tombé de vélo sans lui expliquer ce qui s'est passé, comme si c'était un simple accident. Je te parie tout ce que tu veux qu'il va t'emmener chez le docteur. Pendant ce temps-là, je rentrerai chez moi et j'écrirai le message sur le bloc, en lui recommandant de ne pas utiliser de magie et en l'avertissant que les Moote sont derrière tout ça.

– D'accord, répondit Kévin qui avait de plus en plus mal à la tête.

Sous les cheveux, au-dessus de son sourcil gauche, une bosse de la taille d'un œuf s'était formée à l'avant du crâne. Il ne voyait pas double, heureusement, mais il avait mal au cœur et fut content d'arriver devant le 100, rue Haute.

Emily courut chercher Jonathan, et Kévin venait de mettre son vélo sur la béquille quand son oncle se précipita vers lui.

– Allez, en voiture, Kévin ! Il vaut mieux aller voir le docteur Humphries. Merci, Emily, rentre vite chez toi ! Il va pleuvoir d'une seconde à l'autre.

Jonathan conduisit Kévin à la clinique du Dr Humphries et, au moment même où ils y entraient, la pluie se mit à tomber. L'infirmière de l'accueil accompagna directement Kévin en salle d'examen et oncle Jonathan les suivit. Quelques instants plus tard, le médecin entra, l'air inquiet.

Kévin aimait bien le Dr Humphries, un homme imposant à l'air rassurant qui parlait d'une voix grave. Il fit asseoir Kévin sur la table d'examen et commença par inspecter la bosse qu'il avait sur la tête.

– Tu as dû te cogner très fort, dis-moi ! Je parie que tu as esquinté le trottoir ! Je vais te mettre devant les yeux une lumière qui va un peu te gêner, Kévin, mais il faut que tu les gardes ouverts et que tu regardes droit devant toi.

Il avait dans les mains une minuscule torche dont la lumière éblouissante faisait larmoyer Kévin qui ne

protesta pas. Le docteur leva alors deux doigts en lui demandant combien il en voyait, puis il éclata de rire.

– Ils ont la tête dure, les natifs du Wisconsin ! s'écria-t-il. Pas la moindre commotion cérébrale ! C'est la meilleure nouvelle de l'année ! Voyons maintenant ces écorchures et ces éraflures.

Quelques minutes plus tard, convenablement pansé et bandé, Kévin quitta la clinique avec son oncle sous une pluie torrentielle. Sur le chemin du retour, dans la voiture, oncle Jonathan lui demanda :

– Mais comment es-tu tombé ?

– On se dépêchait de rentrer à la maison parce qu'on venait d'entendre le tonnerre, lui expliqua Kévin. J'ai regardé par-dessus mon épaule pour voir où était Emily, et j'ai failli rentrer dans une voiture. J'ai tourné le guidon pour l'éviter et j'ai perdu l'équilibre.

– Il faut que tu fasses davantage attention, Kévin, dit Jonathan en secouant la tête.

Kévin était sur le point de tout lui raconter, mais cette remarque l'en empêcha. Il avait peur de décevoir son oncle. Que dirait-il s'il apprenait qu'Emily et lui s'étaient encore mêlés de ce qui ne les regardait pas ?

Ils coururent sous la pluie vers la maison et, en entrant, Jonathan vit aussitôt le nouveau message qu'Emily avait glissé dans la fente du courrier. Il était écrit sur le même papier jaune que le premier, dans les mêmes lettres majuscules, et Kévin put voir ce qu'il disait :

CHER MONSIEUR BARNAVELT,

IL NE FAUT PAS UTILISER DE MAGIE CONTRE CETTE MENACE.

M. ET MME MOOTE EN SAVENT BEAU-COUP PLUS QU'ILS NE VEULENT BIEN LE DIRE.

UNE HORRIBLE CRÉATURE EST VENUE DE LA FERME CLABBERNONG ET ELLE SE CACHE MAINTENANT DANS LE PARC DES ÉPICÉAS, SOUS LA PASSERELLE.

FAITES BIEN ATTENTION !

UN AMI

Oncle Jonathan replia rapidement la lettre en toussotant, puis se tourna vers son neveu.

– Comment te sens-tu ?

– Pas trop bien, avoua Kévin. J'ai affreusement mal à la tête.

Jonathan tâta son front.

– En tout cas, tu n'es pas fiévreux. Tu n'as qu'à prendre deux aspirines pour calmer la douleur, et je crois que tu ferais mieux d'aller te reposer dans ta chambre un petit moment. Tu as été drôlement secoué et tu auras mal partout demain. Tu veux une poche de glace pour ta tête ?

– Non, ça va aller, dit Kévin.

– Tu es sûr ? insista Jonathan en haussant les sourcils. Bon, alors va t'allonger un moment jusqu'à ce que ta migraine aille mieux. Moi, j'ai quelques coups de fil à donner.

Kévin ne protesta pas. Il alla dans sa chambre et enleva son jean déchiré pour se mettre en pyjama. Mais, au lieu de s'allonger, il posa un coussin par terre devant la fenêtre et s'y agenouilla pour regarder dehors. Il faisait sombre, même s'il n'était que 13 heures. Des torrents de pluie s'abattaient sur la rue Haute. Les rafales de vent arrachaient des feuilles et des brindilles aux arbres. En bas de la rue, des lumières brillaient aux fenêtres des maisons et brusquement, sans savoir pourquoi, il se sentit très seul, comme un orphelin sans foyer contemplant avec envie les demeures paisibles et rassurantes des enfants plus chanceux.

Il pensa à Emily en se demandant ce qu'elle faisait. Elle était parfois exaspérante, mais elle avait un solide bon sens et n'était pas du genre à prendre des risques inconsidérés. Puis Kévin se remémora la manière dont M. et Mme Moote s'étaient inquiétés quand il était tombé. Mme Moote lui avait même proposé de venir chez eux et, rien qu'en y pensant, il avait la chair de poule. Est-ce qu'il en serait sorti vivant s'il avait accepté? Et cette horrible créature dans l'eau, c'était quoi? Qu'avait-elle à voir avec les Moote? Kévin avait l'affreuse impression qu'il n'en avait pas fini avec eux – ni avec leur petit «chéri» dissimulé sous la passerelle.

Regardant la pluie tomber, Kévin laissait courir son esprit. Ses écorchures, ses bleus et ses bosses le faisaient souffrir. Bizarrement, la pression du coussin sur ses genoux lui faisait du bien, ou du moins atténuait un peu la douleur. Il se demanda vaguement où il pourrait puiser des forces pour guérir plus vite. «Puiser des forces», murmura-t-il d'un air songeur. Il répéta machinalement cette expression, puis suivit confusément son idée: «Puiser dans un puits... mais où y a-t-il un puits?» En prononçant ces mots, il sentit soudain une sorte de «tilt» dans son cerveau, presque une décharge électrique, et cette fois, la lumière qui venait de se faire dans son esprit ne s'éteignit pas.

Il sauta sur ses pieds nus en oubliant complètement son mal de tête lancinant et ses genoux bandés.

– Oh, mon Dieu ! s'écria-t-il, les yeux écarquillés.

Il venait enfin de comprendre. Les sens peuvent avoir d'autres sens. Un sens littéral, par exemple, que l'on peut discerner derrière une image.

C'était ce qu'il venait de faire. Il sentit son cœur s'emballer. Oui, il était sûr de lui.

Kévin venait de trouver la solution de l'énigme qu'Elihu Clabbernong avait glissée dans son testament.

Chapitre 12

Kévin s'habilla à toute allure, puis se précipita au rez-de-chaussée en criant «oncle Jonathan!». Avant même d'être arrivé en bas, il comprit que son oncle n'était pas là car les murs résonnaient comme ceux d'une maison vide. Sa canne noire au pommeau de cristal n'était pas dans le grand vase chinois bleu et blanc à côté de la porte d'entrée. Elle lui servait de baguette magique, et s'il l'avait prise, c'était certainement parce qu'il pensait en avoir besoin. En parcourant la maison, Kévin trouva un petit mot sur la table de la cuisine.

Salut Kévin,

*Mme Zimmermann et moi, nous devons faire quel-
ques courses et vérifier deux ou trois choses. Ne te fais
pas de souci si je rentre tard. Je t'expliquerai demain.
Pour ton dîner, il reste un peu de rosbif dans le réfrigé-
rateur, et tu peux réchauffer une boîte de légumes.*

*J'espère que ta tête va mieux. S'il ne s'était pas passé
quelque chose de très important, je ne te laisserais pas
comme ça tout seul. Tu peux appeler le Dr Humphries
si tu ne te sens pas bien. Les numéros de son bureau et
de son domicile sont notés au dos de la couverture du
répertoire téléphonique. J'espère être de retour avant
minuit !*

Ton oncle qui t'aime
Jonathan

Kévin jeta un coup d'œil à la maison voisine et
vit que Mme Zimmermann n'était pas là non plus.
Sa voiture, une Plymouth Cranbrook 1950 qu'elle
avait surnommée Bessie, était bien garée dans
l'allée, mais il n'y avait pas de lumière chez elle.
Kévin se précipita sur le téléphone et composa le
numéro d'Emily. Ce fut Mme Pottinger qui
décrocha, et elle appela sa fille. Bouillant d'impatience, Kévin attendit en se dandinant d'un pied
sur l'autre. Soudain, il entendit la voix d'Emily lui
dire : « Allô ? »

– J'ai trouvé ! lui dit-il précipitamment. Je sais ce que ça veut dire !

Emily comprit aussitôt de quoi il parlait.

– Tu as trouvé la solution de l'énigme ? J'arrive tout de suite !

Mais, visiblement, Mme Pottinger s'y opposa. Emily mit sans doute la main sur le combiné car il n'entendit qu'une brève discussion assourdie. Finalement, elle lui annonça qu'elle ne pourrait venir qu'après le dîner, et seulement s'il ne pleuvait plus.

– Tu te rappelles ce qu'ont dit les Moote sur le sort qu'a employé Jebediah pour séparer son âme ? lui demanda Kévin.

– Ils... ils n'avaient pas l'air de l'apprécier, répondit Emily.

Elle ne dit rien de plus et Kévin comprit que sa mère n'était pas loin.

– C'est tout ce que je sais, ajouta-t-elle prudemment.

Kévin entendit Mme Pottinger appeler sa fille qui ajouta précipitamment :

– Écoute, soit je viendrai, soit je te téléphonerai. Ne fais rien sans moi !

En raccrochant le combiné, Kévin se demanda ce qu'il pourrait bien faire, même avec elle. S'il avait raison – et il était sûr de son fait –, ils avaient besoin d'aide. Retrouver ce qu'Elihu avait caché tant d'années auparavant ne serait pas une tâche facile. Il faudrait sûrement faire appel à... à des sorciers et des magiciens. Ou à des gens beaucoup plus courageux que lui, en tout cas.

Pendant tout l'après-midi, Kévin fut sur les charbons ardents. Il marcha de long en large, puis essaya de regarder la télévision. Il ne tenait pas en place et regardait l'heure toutes les cinq minutes en ayant l'impression que le temps n'avançait pas.

Vers 17 heures, il s'approcha de la porte-fenêtre du bureau et regarda dehors. La pluie faiblissait et des coins de ciel bleu apparaissaient entre les nuages. Le soleil était déjà bas et des lueurs rouge orangé illuminaient l'horizon. Cette couleur lui rappela celle de la comète, qui à son tour lui fit penser à l'étrange créature qu'Emily et lui avaient entraperçue, et même touchée avec une branche !

En frissonnant, il se détourna de la fenêtre et s'approcha des rangées de vieux livres qui tapissaient les murs du sol au plafond. Une étagère était réservée à ceux qui concernaient la magie.

Kévin parcourut les titres jusqu'à ce qu'il trouve celui qu'il cherchait, le *Dictionnaire encyclopédique des arts de la magie* de Van Schull. C'était un volume très lourd, ayant la taille et le poids d'une grosse encyclopédie. La reliure de cuir brun était gravée  de losanges rappelant une peau de serpent – mais d'un serpent énorme, vu leur taille. Kévin le posa sur le bureau, alluma la lampe et l'ouvrit. Comme tous les vieux livres, il avait une odeur particulière, une odeur poussiéreuse et épicée qui chatouillait le nez.

Kévin tourna précautionneusement les vieilles pages jaunies tachées de brun. À la rubrique «âme», il trouva plusieurs articles dont un seul – «Âme, séparation» – semblait correspondre à ce qu'il cherchait.

Il se pencha sur le livre pour lire les petits caractères :

> **Âme, séparation**. Les magiciens de nombreux pays ont cherché des formules et des sorts leur permettant de séparer leur âme de leur corps afin de devenir invulnérables aux blessures et à la mort. Ce genre de sortilège permet au magicien de cacher son âme n'im-

porte où, dans un arbre, une pierre, un puits, un bijou, etc. Ou bien de la placer dans une partie inhabituelle de son corps, afin qu'il ou elle puisse continuer à vivre même si son emplacement normal, le cœur, est touché. (Voir le talon d'Achille, les cheveux de Nisus, etc., à la rubrique **Âme, déplacement**.)

En règle générale, l'âme est dissimulée dans un contenant inhabituel comme une fleur, une pierre ou un rubis. Celui-ci est mis en lieu sûr et, tant que personne ne le trouve et ne le détruit, ce qui a pour effet de libérer l'esprit captif, le possesseur de cette âme ne meurt pas réellement. Même si son corps est détruit, il se régénérera lentement tant que son âme restera intacte.

Un vieux conte nordique, *Le Géant sans cœur*, raconte l'histoire d'un sorcier géant qui a caché son cœur, le siège de son âme, dans l'œuf d'une cane qui nage dans un puits secret sous une église abandonnée située dans une île perdue au centre d'un lac inconnu. Pour tuer le géant, le héros du conte doit briser l'œuf, mais il lui faut d'abord le localiser en accomplissant une longue et dangereuse quête. Il y a aussi la légende irlandaise de Cano dont l'âme était emprisonnée dans une pierre : tant que la pierre ne serait pas brisée, il ne pourrait pas mourir.

Les sortilèges qui séparent l'âme du corps sont toujours l'œuvre de sorciers maléfiques. La *Thaumaturgie* de Livius le Jeune ne donne que la première ligne d'une incantation qui...

L'article continuait sans rien dire d'utile pour Kévin qui, de toute manière, était absolument sûr d'avoir trouvé la solution. En revanche, il aurait bien voulu savoir où étaient partis son oncle et Mme Zimmermann.

Les heures s'écoulaient très lentement. Kévin se fit un sandwich de rosbif qu'il se mit à manger sans beaucoup d'appétit. Ses genoux blessés étaient raides, et si la bosse de son crâne avait rapetissé, il avait à présent un magnifique œil au beurre noir. Il jeta la moitié de son sandwich à la poubelle et recommença à marcher de long en large. L'intérieur de la vieille maison s'assombrissait à mesure que le soleil baissait. Il ne pleuvait plus et Kévin, de plus en plus nerveux, sursautait chaque fois qu'une branche mouillée tapotait une vitre. Le moindre craquement du plancher sous ses pieds lui donnait la chair de poule. Il allait de temps en temps ouvrir la porte d'entrée pour voir si Emily n'arrivait pas.

Soudain, il remarqua quelque chose d'étrange. À droite de la porte d'entrée, sur le portemanteau, il y avait un miroir qui avait des propriétés magiques. La plupart du temps, quand Kévin se mettait devant, il reflétait son visage, mais il y avait également vu de nombreuses scènes de pays étranges et lointains. Or il émettait maintenant des lueurs rouges clignotantes qui dansaient et miroitaient sur le mur opposé. Kévin prit son courage à deux mains et le regarda.

Il montrait la comète rouge sang qui brillait dans le ciel nocturne. L'image ondoyait comme si on la voyait à travers de l'eau. Parfois elle pâlissait et devenait plus terne, puis elle se remettait à flamboyer d'un rouge si éclatant qu'il faisait mal aux yeux. Kévin mit ses mains en visière pour se protéger la vue et, juste au-dessus de la comète, il aperçut deux yeux attentifs – deux yeux humains qui bougeaient dans tous les sens et semblaient chercher quelqu'un. Soudain, ils se fixèrent sur lui.

Kévin vit alors le sinistre visage de Méphistophélès Moote. Il était comme suspendu dans le miroir, l'air menaçant. Les lèvres minces et ridées se tordirent dans un rictus, et les paroles qui en sortaient coulèrent silencieusement dans la tête de Kévin comme de simples pensées :

– Tiens, tiens ! Mais c'est «Billy», le garçon qui est tombé de vélo ! Le voilà, notre espion !

Kévin ne pouvait détacher son regard du miroir.

– Comment va ta «sœur», Kévin Barnavelt ? disait la voix dans sa tête. Elle s'appelle bien Pottinger, non ? Tu crois qu'elles vont échapper à ma colère, elle et sa maudite famille ? Et ton oncle, cet idiot, sait-il que sa vie s'arrêtera à minuit ? La Terre sera enfin débarrassée de ces pitoyables humains – et je serai le seul à vivre éternellement sous une autre forme ! Les Grands Anciens retrouveront leur empire et le triomphe de l'Étoile rouge sera total !

Glacé d'épouvante, Kévin avait l'impression de devenir fou. Une sensation de rire haut perché et haineux emplit son crâne. Mais brusquement un bruit, un vrai bruit, le secoua : le tintamarre de la vieille sonnette mécanique de l'entrée, juste à sa gauche. Il tourna les yeux vers la porte. Instantanément, le miroir s'assombrit et les vociférations de Méphistophélès Moote devinrent un lointain bourdonnement qui faiblissait dans son crâne.

Kévin se précipita vers la porte et l'ouvrit d'un mouvement brusque. Emily était sur le seuil, la main encore tendue pour actionner de nouveau la sonnette.

– Kévin ! Qu'est-ce qui se passe ? Tu as l'air bizarre !

Il l'entraîna dans le bureau, loin du miroir, et lui raconta tout ce qui s'était passé.

– À minuit ! s'écria-t-elle quand il eut fini. Mais il est déjà presque 18 heures !

– Ce n'est pas tout, lui dit Kévin.

– Je sais, tu crois avoir trouvé la solution de l'énigme du testament d'Elihu Clabbernong.

– Je ne crois pas, j'en suis sûr, lui affirma Kévin d'un ton pressant.

– Alors, c'est quoi ? Vas-y, mets-toi à table !

Les mots se bousculaient dans sa bouche pendant qu'il lui expliquait ce qu'était une « âme séparée ». Puis il ajouta :

– C'est ce qui a dû se passer. Le vieux Jebediah Clabbernong a jeté un sort pour extraire son âme de son corps et la placer ailleurs. Elihu savait que son grand-oncle n'était pas vraiment mort lorsqu'il a fait incinérer son corps, et il a fini par trouver l'objet contenant l'âme de Jebediah. Il ne pouvait sans doute pas le détruire...

– Pourquoi ? l'interrompit Emily.

Kévin lui lança un regard agacé.

– Comment veux-tu que je le sache ? Peut-être parce qu'il aurait ainsi libéré le monstre que nous avons vu ! Ou pour une autre raison en rapport avec la magie. Je n'en sais rien. Mais au lieu de détruire l'objet contenant l'âme de Jebediah, Elihu l'a caché. Et je sais où il l'a mis !

– Où ça ? s'écria Emily d'un air exaspéré. Arrête de me faire languir !

D'un air triomphant, Kévin récita le passage du testament :

– « Et pour **trouver** la vie, il faut puiser au plus profond du cœur. »

Voyant qu'Emily le regardait fixement sans comprendre, il ajouta :

– « Les sens peuvent avoir d'autres sens », tu te souviens ? Il y a le sens figuré, mais aussi le sens littéral, tu comprends ? Il dit qu'on doit puiser, d'accord, mais où ?

Emily haussa les épaules.

– Au fond de soi ?

Kévin secoua la tête d'un air impatient.

– Allez, cherche !

Emily souleva les sourcils en disant :

– Je sais pas, moi. Dans un puits ?

– Bravo ! cria Kévin. Pour trouver la vie – c'est-à-dire l'âme du vieux Jebediah –, il faut chercher au fond d'un puits. D'un *puits*, Emily !

Derrière ses lunettes rondes, les yeux d'Emily s'écarquillèrent.

– L'âme du vieux Jebediah est cachée dans un truc qui est au fond du puits de la ferme Clabbernong !

Kévin fit oui de la tête.

– Il va falloir y aller, dit-il.

Les deux amis se regardèrent fixement un moment. Kévin ne savait pas ce qu'en pensait Emily, mais la simple idée de retourner dans cet horrible endroit le rendait malade.

Pourtant, il devait le faire.

Car sinon, Emily et lui – et le reste du monde – n'avaient plus que six heures à vivre.

Chapitre 13

– Nous n'arriverons jamais à aller là-bas et à revenir en vélo à temps, dit Emily d'une voix angoissée.

– On va essayer! affirma Kévin.

Il courut à la cave et revint avec un rouleau de corde et une grosse lampe électrique chromée. Il les tendit à Emily et monta à toute allure dans sa chambre chercher autre chose. En redescendant l'escalier quatre à quatre, il lui cria :

– Allons-y!

Ils enfourchaient leurs vélos quand Emily s'exclama :

– Regarde ! Mme Zimmermann est rentrée !

Effectivement, la fenêtre de son salon était éclairée. Kévin et Emily coururent chez elle et tambourinèrent à la porte.

À leur grande surprise, elle s'ouvrit sur une autre charmante vieille dame.

– Kévin ! Emily !

– Madame Jaeger ! s'étonna Emily. Qu'est-ce que vous faites ici ?

Mildred Jaeger leur fit un petit sourire contrit.

– Eh bien, comme vous le savez, mes pouvoirs magiques ne sont pas très fiables. Tous les magiciens se sont réunis pour une grosse affaire ce soir, mais Mme Zimmermann a oublié une amulette qui pourrait lui être utile. Ma présence n'étant pas indispensable, je leur ai proposé d'aller la chercher.

Elle avait dans les mains une petite boîte blanche.

– J'espère que j'ai bien pris celle qui lui manquait.

– Nous pouvons nous aussi les aider, madame Jaeger, dit Kévin, mais il faudrait que vous nous conduisiez quelque part.

– Qu'est-ce qui est arrivé à ton œil ? lui demanda-t-elle.

– Ce n'est rien, je me suis cogné la tête, lui expliqua Kévin. Il faut que vous nous donniez un coup de main, madame Jaeger.

Voyant qu'elle hésitait, il ajouta :

– C'est très important ! Nous sommes au courant pour la comète rouge et les Moote.

– Oh, mon Dieu ! s'écria-t-elle. Alors je crois que je vais accepter ! Ma voiture est garée devant la maison.

Ils s'entassèrent tous les trois dans la Chevrolet 1939 et Emily lui indiqua la route d'une voix pressante. Les derniers nuages se dispersaient vers le sud et, à l'ouest, le soleil baissait sur l'horizon. Kévin espérait qu'ils arriveraient à la ferme Clabbernong avant qu'il ne se couche. Il n'avait pas la moindre envie de se retrouver là-bas la nuit.

Mme Jaeger conduisait très prudemment et, même pour une opération de survie de cette importance, elle ne dépassa pas les soixante kilomètres à l'heure. Ils traversèrent le nouveau pont, tournèrent devant la petite boutique du carrefour et arrivèrent à la vieille ferme en ruine à 19 heures. Le soleil était maintenant un gros disque rouge qui s'approchait de l'horizon. Ils descendirent de

voiture et Kévin sentit que la tête lui tournait. Ce n'était pas simplement le choc qu'il avait subi à la tête, mais aussi la puanteur des lieux.

Ils se dirigèrent vers l'arrière de la maison, passèrent devant les planches effondrées de l'abri antitornade – qu'Emily contourna largement – et s'approchèrent du puits en brique. C'est seulement là que, brusquement, Kévin réalisa ce qu'il allait devoir faire. Il fallait que quelqu'un descende dans ce gouffre noir. Il ne pouvait demander à Mme Jaeger de le faire, et Emily était claustrophobe.

Il fallait qu'il le fasse lui-même.

Il posa les mains sur la margelle et se pencha. Le puits avait environ un mètre cinquante de diamètre. Il l'éclaira avec sa lampe électrique et aperçut les briques couvertes de mousse et, six ou sept mètres plus bas, le reflet de la lumière à la surface de l'eau. Emily lui mit la main sur l'épaule.

– Tu crois que tu vas pouvoir le faire ? lui demanda-t-elle d'une voix tremblante.

– Il le faut, répondit Kévin, terrorisé à l'idée de plonger dans ces ténèbres.

Ils vérifièrent la solidité de la structure métallique à laquelle étaient fixés la poulie et le seau. Kévin y attacha une des extrémités de la corde et entoura l'autre autour de sa taille. Emily délaça une de ses

 baskets, enfila le lacet dans l'anneau de la lampe électrique et passa le tout au cou de Kévin.

– Si j'ai des problèmes en bas, vous croyez que vous pourrez me remonter ? demanda-t-il à Emily et à Mme Jaeger.

– Nous nous débrouillerons, lui affirma Emily avec un pâle sourire. Fais bien attention !

Kévin enroula la corde pour qu'elle ne s'emmêle pas. Puis il grimpa sur la margelle du puits et se laissa lentement glisser, centimètre par centimètre. Il essaya de caler ses pieds sur les briques moussues, mais elles étaient trop glissantes. La corde lui brûlait les mains. La faible lueur de la lampe attachée à son cou lui permettait seulement de voir qu'il n'y avait rien de monstrueux sur la paroi de brique.

Au bout d'un moment, qui lui parut durer des heures, il arriva au bout de la corde. Suspendu dans le vide et en se tenant d'une seule main, il dirigea le faisceau lumineux vers le bas. Ses pieds étaient à environ un mètre de l'eau qui brillait, noire comme de l'encre. Comment savoir si elle n'avait que vingt centimètres de profondeur ou si elle cachait un gouffre sans fond ? En tournant sur la corde, Kévin regarda tout autour de lui. Rien.

Et soudain...

Un peu plus bas, autour d'une brique qui avait l'air descellée, il vit filtrer une lueur rouge. En assurant sa prise, Kévin regarda plus attentivement. La brique semblait avoir été enlevée de la paroi, puis remise en place. Elle dépassait de quelques centimètres, et laissait transparaître un rai de lumière rouge.

Malheureusement, elle était juste hors de sa portée.

Kévin lâcha la lampe qui retomba sur sa poitrine et se mit à défaire le nœud qui retenait la corde autour de sa taille. Ses efforts lui faisaient pousser des grognements. Si seulement il arrivait à descendre d'une soixantaine de centimètres, il pourrait...

Le nœud lâcha d'un coup et la corde se mit à glisser dans sa main gauche contusionnée qui, brutalement, supporta tout son poids. Kévin essaya désespérément de s'y agripper sans y parvenir et plongea dans l'eau froide en poussant un cri d'angoisse.

Debout sur le fond vaseux et glissant, il vit que l'eau glacée lui arrivait aux genoux. La brique descellée était maintenant au-dessus de lui et il pouvait l'atteindre.

Mais il y avait un problème. Il ne pouvait plus saisir la corde qui pendait à présent dans le vide. Il avait beau tendre désespérément le bras, le bout de ses doigts ne l'effleurait même pas. Tout en haut, il vit Emily et Mme Jaeger qui le regardaient, et la voix d'Emily résonna contre la paroi :

– Qu'est-ce qui s'est passé ?

– Je suis tombé ! cria Kévin. Il faut que tu rallonges la corde ! Dépêche-toi !

Elles remontèrent la corde et, en attendant, pour ne pas devenir complètement fou, il retira la brique qui dépassait du mur.

En découvrant ce qu'il y avait derrière, Kévin comprit qu'il avait effectivement trouvé la solution de l'énigme.

Brillant d'un éclat surnaturel, une pierre précieuse étincelait. C'était peut-être un rubis, mais un rubis énorme de la taille d'un cœur humain. Il en avait d'ailleurs la forme et il battait, comme s'il était vivant. Son rougeoiement palpitait régulièrement au rythme d'un battement cardiaque. Kévin le saisit et le fourra précipitamment dans la poche de son jean. Il avait du mal à respirer et sentait le froid pénétrer son corps.

Il entendit du bruit en haut et leva la tête.

N'en croyant pas ses yeux, il vit Emily qui se laissait glisser le long de la corde pour le rejoindre.

Kévin savait comme elle devait être terrifiée et, brusquement, sa propre peur se dissipa.

Emily avait horreur des lieux clos. C'était ce qui lui faisait le plus peur sur Terre. Et pourtant, elle descendait tranquillement le rejoindre. Si elle trouvait le courage de venir ainsi à son secours, lui-même se devait de tout faire pour sauver son oncle et ses amis.

Il espérait seulement qu'il ne serait pas trop tard.

Emily arriva au bout de la corde et, en se tenant d'une seule main, elle agita le bras.

– Allez! Accroche-toi! lui dit-elle d'une voix étranglée.

– Je suis trop lourd! Je vais te donner ce que j'ai trouvé...

– Non, on va remonter tous les deux. Prends ma main!

Kévin attrapa son poignet. Elle laissa échapper un grognement lorsqu'il se hissa en l'air en appuyant les pieds sur les briques glissantes. Il saisit le bout de la corde de l'autre main et s'y cramponna de toutes ses forces en disant :

– Vas-y! Je l'ai attrapée! Remonte!

Emily commença à grimper. Kévin enroula l'extrémité de la corde autour de son poignet gauche et se tint solidement des deux mains pendant que les mouvements d'Emily le balançaient dans le vide. Elle s'arrêta à mi-chemin, à bout de souffle, et se mit à gémir.

– Je n'en peux plus !

Kévin grimpa à son tour pour la rejoindre.

– Allez, tu peux le faire ! Le premier qui arrivera en haut aura gagné ! C'est comme quand on grimpe à la corde en cours de gym !

– Justement, tu sais bien que je n'y arrive jamais ! sanglota Emily.

– À la rentrée, tu y arriveras ! lui cria Kévin. Vas-y, on commence notre entraînement ! Monte ta main droite au-dessus de la gauche ! Serre la corde avec tes genoux ! Centimètre par centimètre, s'il le faut, ce n'est pas grave !

Lentement, Emily se remit à grimper. Kévin avait l'impression que ses bras allaient se déboîter de ses épaules. Il montait derrière son amie en souffrant le martyre. Enfin, Mme Jaeger aida Emily à se hisser sur la margelle, puis elles se penchèrent toutes les deux pour lui tendre la main. Il émergea dans le crépuscule. Le soleil se couchait derrière les arbres.

– Il est quelle heure ? demanda-t-il.

– Plus de 20 heures, répondit Mme Jaeger. Mon Dieu ! Il faut qu'on se dépêche !

Venant de la ferme en ruine, un éclat de rire strident retentit.

– Vous dépêcher ? Mais non, restez, je vous en prie ! J'insiste !

Emily poussa un cri de terreur et Kévin faillit s'évanouir.

Sortant de l'ombre du vieux bâtiment, une haute silhouette aux cheveux blancs apparut, une baguette magique à la main.

Hermine Moote les avait retrouvés.

Chapitre 14

Pendant un moment, personne ne dit un mot. Puis Hermine Moote fit quelques pas vers eux.

– Je me demande ce que vous fabriquiez là-dedans. Il y a un passage secret, peut-être? Où est-ce que vous avez encore été fourrer votre nez?

Kévin réfléchissait à toute allure. Il avait dans une poche le rubis en forme de cœur. Et dans l'autre, il avait... il avait un objet qui allait sans doute lui être utile.

– Nous savons tous ce qu'il y avait sous le pont, lança-t-il.

– Ça m'étonnerait! s'écria Hermine Moote. Ça m'étonnerait beaucoup.

– C'étaient les cendres du vieux Jebediah Clabbernong, dit Emily. Il était censé se transformer en Grand Ancien, mais le sortilège n'a pas bien marché et il est devenu une sorte de monstre.

Kévin vit les yeux d'Hermine Moote s'écarquiller de surprise, puis se rétrécir de méfiance.

– Personne n'est au courant! Absolument personne, à part mon mari et moi!

Mme Jaeger se croisa les bras.

– Vous allez tomber de haut! répliqua-t-elle d'une voix calme. L'Association des magiciens du comté de Capharnaum en sait beaucoup plus que vous ne croyez! Et ils se sont tous réunis ce soir pour s'occuper de votre chère Étoile rouge et de tout le reste.

Kévin mit la main dans sa poche et empoigna fermement ce qui s'y trouvait.

– Vous ne savez pas que votre mari va vous laisser en plan? C'est lui qui me l'a raconté! Il n'y a que lui qui sera transformé. Tous les autres humains seront rayés de la surface de la Terre, vous y compris!

– Non, il n'osera pas! hurla Hermine Moote. C'est moi qui suis sorcière, et c'est moi qui lui ai tout raconté sur les Clabbernong et leur magie! J'ai épousé ce minable pour me rapprocher d'Elihu ! Méphistophélès Moote était un petit notaire à l'époque... mais il s'occupait des affaires d'Elihu ! Et, pour ne rien vous cacher, nous avons réussi à lui faire dire beaucoup de choses. Si seulement il avait vécu quelques mois de plus, nous lui aurions arraché tous ses secrets, y compris...

Elle s'interrompit et éclata d'un rire méchant.

– Mais bien sûr ! s'écria-t-elle. Bien sûr ! Vous avez trouvé ce qu'il avait caché ! C'était dans le puits, hein ? Je vais donc pouvoir redonner sa mémoire et sa conscience à Jebediah Clabbernong et je n'aurai même pas besoin de Méphistophélès ! C'est toi qui l'a, ma fille ? Ou alors toi, Kévin Barnavelt ?

– Vous ne l'aurez pas ! cria Kévin en resserrant sa prise.

– Mais si, je l'aurai, répondit-elle en le regardant méchamment. Je peux te transformer en rat si je veux, ou te carboniser sur place et le prendre dans tes cendres ! Il est dans ta poche ! Donne-le-moi maintenant et je te laisserai peut-être la vie sauve !

– Ne lui donne pas, Kévin ! dit Emily. Elle bluffe !

Hermine Moote donna un petit coup de baguette sur le côté. Un jet de lumière pourpre retomba sur la vieille ferme qui s'effondra dans un fracas de poutres et de tôles disloquées en soulevant un énorme nuage de poussière suffocante. La sorcière avança d'un air arrogant, les yeux étincelants, la baguette pointée vers Kévin.

– Alors je bluffe, c'est ça ?

Kévin tendit le bras.

– Ne me faites pas de mal, l'implora-t-il d'un air suppliant. Et ne faites pas de mal à mes amies. Laissez-nous partir, je vais vous le donner.

– Non ! cria Mme Jaeger.

Trop tard. Triomphante, Hermine Moote tendait la main pour prendre l'objet que tenait Kévin.

Et il le laissa tomber sur la paume tendue.

Pendant un court instant, le rivet du pont ensorcelé reposa dans cette main décharnée. Puis il sembla prendre vie en projetant des flèches lumineuses colorées.

– Non ! hurla Hermine Moote en laissant tomber sa baguette.

Elle secoua frénétiquement la main, mais le rivet y adhérait comme s'il y était soudé.

– Non !

En poussant d'horribles hurlements, elle courut en trébuchant vers les ruines de la ferme et disparut dans le nuage de poussière. Le visage crispé, Kévin écouta ses gémissements.

– Qu'est-ce que j'ai fait ? s'écria-t-il. J'essayais juste de gagner du temps...

– Ne t'en fais pas, mon enfant, lui dit Mme Jaeger. Je devine d'où provient ce morceau de métal. Tu ne connaissais pas son pouvoir. Ce n'est pas ta faute...

Soudain, il se produisit une chose inattendue.

Sur le sol, la baguette qu'avait brandie Hermine Moote se brisa en deux avec un bruit sec comme un coup de feu.

Mme Jaeger prit une longue et profonde inspiration.

– Voilà, c'est fini ! Quand un magicien ou une magicienne meurt, sa baguette se brise. Allons-nous-en !

Ce qui restait de Mme Moote reposait sur le chemin défoncé qui menait à la route. C'était un tas de poussière grise ayant vaguement la forme d'une femme. Un de ses bras semblait tendu, et le rivet était au bout, brillant toujours de son éclat surnaturel.

– Elle s'est... elle s'est désintégrée ! s'écria Emily.

– Elle était très, très vieille. C'était la magie qui maintenait son corps en vie, lui expliqua Mme Jaeger, et ce métal ensorcelé lui a retiré tout

son pouvoir. Nous en aurons peut-être encore besoin, mais je préfère que ce soit toi qui le ramasse, Kévin ! Je suis une sorcière, malgré tout. Il vaut mieux que je n'y touche pas !

En grimaçant de dégoût, Kévin récupéra le rivet dans le tas de poussière. Les pieds trempés dans ses baskets, il courut avec les autres vers la voiture de Mme Jaeger. Celle d'Hermine Moote était garée de l'autre côté de la route, à moitié cachée par des rhododendrons.

– Il faut qu'on se dépêche, dit Mme Jaeger. Il nous reste moins de quatre heures avant minuit !

Elle roula néanmoins très doucement et insista pour passer chez Kévin afin qu'il change de jean et mette des chaussures sèches.

– Ce serait idiot que tu attrapes une pneumonie, ajouta-t-elle fermement.

Finalement, deux heures passèrent avant qu'elle n'arrête la voiture sur une hauteur au nord de New Zebedee. Il faisait maintenant nuit noire, mais quand Kévin ouvrit la portière, il n'eut même pas besoin de lever la tête pour voir si la comète était là. Son éclat teintait de rouge tout le paysage.

Les membres de l'Association des magiciens du comté de Capharnaüm formaient un cercle au sommet de la colline. Chacun d'eux tenait une bougie allumée. Jonathan Barnavelt se précipita vers son neveu, les yeux écarquillés de surprise.

– Qu'est-ce qui se passe ?

Kévin s'efforça de tout lui expliquer le plus vite possible, Emily ajoutant une précision de temps à autre. Puis il sortit le rubis de sa poche et le tendit à son oncle.

– Le voilà, conclut-il. Je crois qu'il contient l'âme de Jebediah Clabbernong.

– Tu as sûrement raison, dit Mme Zimmermann qui s'était approchée pour les écouter. Jonathan, ce cône de protection que nous sommes en train d'ériger au-dessus de New Zebedee n'est pas suffisant ! D'après ce que vient de dire Kévin, on dirait que Méphistophélès Moote va s'en prendre au monde entier. Nous devons changer nos plans !

– Oui, mais que faire ? Nous ne pouvons pas utiliser de magie puisque l'esprit que Jebediah a fait venir des confins de l'espace s'en nourrit ! Le moindre sort que nous pourrions lui jeter ne ferait que le fortifier – d'autant plus que les cendres de Jebediah lui ont donné un corps !

Mme Zimmermann fronça les sourcils.

– Alors il faut nous y prendre autrement, déclara-t-elle d'un air songeur.

À cet instant, quelqu'un cria au sommet de la colline :

– Attention ! Il se passe un truc bizarre !

Kévin et Emily se retournèrent. Tout le monde se sauvait en courant. Certains avaient laissé tomber leur bougie. Kévin cligna des yeux. Un nuage se formait en haut de la colline. Un nuage tourbillonnant d'un rouge incandescent. Un nuage qui palpitait comme le rubis.

Brusquement, il se condensa...

– Tiens donc ! glapit Méphistophélès Moote. Tous réunis pour une gentille petite soirée, hein ? Et vous ne m'avez pas invité !

Mme Zimmermann leva son parapluie devant elle et se transforma instantané-ment : au lieu de sa petite robe violette, elle portait une ample toge noire bordée de flammes violettes, et son parapluie était mainte-nant une longue baguette surmontée d'une étoile violette étincelante.

– Méphistophélès Moote, lança-t-elle d'une voix dure, la moitié de ton pouvoir a déjà disparu ! Ta femme a essayé de s'opposer à nous et elle a échoué !

– La moitié de mon pouvoir ? ricana Moote. Mais elle n'avait pas le dixième de mon pouvoir !

Regardez, ma chère amie ! Je vais appeler le Grand Ancien ! Personne ne peut s'opposer à lui !

Et il se mit à psalmodier une incantation – « Ry'leh ! Ny'arleth ! Yog-Shoggoth ! » – et d'autres mots qui pour Kévin ne voulaient rien dire.

À nouveau, un nuage pourpre se forma et se condensa... et il en sortit cette fois une forme gigantesque de trois ou quatre mètres de haut dont les bras flasques se tordaient et fouettaient l'air. Elle palpitait et ondulait, les traits de son visage se déplaçant partout sur sa tête difforme. À ses pieds, l'herbe mourait instantanément en prenant le même aspect gris et friable que celle de la ferme Clabbernong.

– J'ai faim ! hurla le monstre d'une horrible voix pâteuse. J'ai faim !

– Voilà Jebediah Clabbernong ou ce qui reste de lui ! cria Mme Zimmermann. C'est ça que vous voulez devenir, Méphisto ? Une masse stupide de gelée tremblotante et visqueuse ?

– Je serai transfiguré, brailla Moote, et je vivrai éternellement !

Il leva un doigt tremblant et le pointa vers Mme Zimmermann.

– Détruis-la ! cria-t-il. Détruis-les tous !

Mme Zimmermann leva sa baguette et agita l'autre main comme si elle allait jeter un sort. Le monstre s'arrêta et se raidit. Puis, brusquement, Mme Zimmermann fit demi-tour en criant :

– Sauvez-vous tous et ne faites surtout pas de magie !

Tous les magiciens dévalèrent la pente. Jonathan poussa Mme Zimmermann, Mme Jaeger, Kévin et Emily dans la voiture et ils démarrèrent en trombe. Kévin se retourna sur son siège pour regarder derrière lui. Le monstre agitait les bras en hurlant. L'un d'eux frappa un arbre et celui-ci vola en éclats comme s'il était en verre.

– Ouf ! dit Mme Zimmermann d'une voix pantelante. Tout le monde va bien ?

– Oui, Florence, répondit Mme Jaeger qui était sur le siège arrière avec Kévin et Emily. Mais j'ai laissé ma voiture !

– Nous reviendrons la chercher plus tard, intervint Jonathan. Je suis sûr que Moote va nous suivre. Il voulait que nous utilisions nos pouvoirs magiques et il doit être furieux. Il faut que nous fassions quelque chose... et avant minuit ! Mais quoi ?

– J'ai le rivet de l'ancien pont, oncle Jonathan ! s'écria Kévin.

– Oui, je sais, mais il faut trouver une tactique. Florence, tu n'as pas une idée ?

– Si ! dit-elle. Allons à l'emplacement de l'ancien pont. Vite, le temps presse !

À deux reprises, Kévin crut que tout était perdu. Non loin de la ville, le monstre jaillit juste devant eux et frappa la voiture. Jonathan donna un coup de volant et les roues cahotèrent sur l'herbe du bas-côté. Un tentacule humide laissa une longue traînée de bave visqueuse sur les vitres du conducteur. Puis, au sud de la ville, ils virent près de la route Méphistophélès Moote, debout sur un monticule, qui agitait une baguette. Des petites boules rouges grésillantes en jaillirent qui filèrent vers eux. Deux manquèrent leur cible, mais la troisième frappa le toit de la voiture en soulevant une gerbe d'étincelles de métal chauffé à blanc.

Ils arrivèrent enfin près du nouveau pont où Jonathan arrêta la Ford en faisant crisser les pneus sur le gravier. Ils en sortirent à toute allure, et Mme Zimmermann prit aussitôt le commandement des opérations.

– Nous deux, Jonathan, il faut qu'on mette au point une contre-offensive magique. Vous trois, vous allez monter la garde, et si Méphistophélès Moote et son horrible créature rappliquent, vous devrez les tenir à distance ! Nous ne pourrons pas vous aider. Et quoi qu'il arrive, il faut que cette histoire soit réglée avant minuit.

– J'ai peur, murmura Emily.

Jonathan eut un petit rire qui étonna Kévin.

– Bienvenue au club ! dit-il.

Puis il ajouta à l'adresse de Mme Zimmermann :

– D'accord, Vieux Pruneau, je suis prêt à tout, mais qu'est-ce qu'on va faire ?

Pendant qu'ils se concertaient tous les deux, Mme Jaeger, Kévin et Emily firent le guet. La route semblait déserte. Au-dessus de leur tête, la comète était presque au zénith, sa queue flamboyante flottant vers l'est. Kévin commençait tout juste à se sentir un peu mieux quand, brusquement, tout devint silencieux. Les grillons et les insectes nocturnes s'arrêtèrent de chanter comme si on venait de tourner un bouton.

– Ils sont là, murmura Mme Jaeger en agitant la cuillère en bois qui lui servait de baguette. Je ne sais pas où, mais ils sont là...

Kévin alluma sa lampe électrique et éclaira la route de chaque côté, mais ne vit rien bouger. Emily lui chuchota :

– Peut-être qu'ils vont...

Soudain, Kévin entendit une sorte de mugissement derrière lui ! Il se retourna. Le monstre grimpait le talus derrière Jonathan et Mme Zimmermann. À mesure qu'il avançait, l'herbe se fanait instantanément. Juste derrière lui, Méphistophélès Moote flottait dans les airs, le visage grimaçant de haine.

– Arrêtez ces idioties ! brailla-t-il en reposant les pieds par terre. Votre heure a sonné, pauvres minables !

Kévin entendit Mme Zimmermann lancer :

– Prêt, Jonathan ?

– Éclaire-moi, Kévin, dit oncle Jonathan.

Le monstre n'était plus qu'à quelques mètres. Il fit un pas en roulant ses horribles yeux dépareillés. Sa puanteur suffoquait Kévin, mais il tourna le faisceau lumineux vers son oncle.

Jonathan leva le rubis en l'air.

– Tu vois cet objet, Moote ? Tu sais ce que c'est ? Et toi, Jebediah, tu t'en souviens ?

Le monstre s'immobilisa, frémissant. Il poussa un gémissement qui ressemblait presque à une question.

– Quelque part au fond de toi, tu sais ce que c'est, continua Jonathan.

– Tais-toi, tais-toi ! glapit Moote. Espèce de... de magicien de salon ! Je vais t'anéantir !

– Alors tu détruiras aussi l'âme de Jebediah Clabbernong ! lui cria Jonathan.

Le monstre frissonna de la tête aux pieds.

– L'... l'âme ? répéta-t-il de son horrible voix gargouillante. L'... l' âme ?

Hurlant de rage, Moote s'écria :

– S'il ne te règle pas ton compte, c'est moi qui vais le faire !

Il leva sa baguette... et l'un des tentacules du monstre fouetta l'air et le frappa en pleine poitrine. Avec un hurlement de douleur et de haine, Moote tomba à la renverse et dégringola le talus de la rivière. On n'entendit pas de plouf.

– Montre le rivet à notre ami, Kévin, dit Jonathan.

Kévin leva en l'air le morceau de métal. Ses couleurs étincelaient encore plus que d'habitude. La créature qui avait été Jebediah Clabbernong poussa un affreux grognement.

– Eh oui ! C'est ce rivet qui t'a maintenu sous l'eau pendant toutes ces années. Et maintenant, que va-t-il se passer si nous mettons *ceci* à côté de *cela* ? ajouta Jonathan en levant devant lui le rubis en forme de cœur. Surtout avec l'Étoile rouge au-dessus de notre tête !

Le monstre projeta devant lui un de ses tentacules qui fouetta le vide. Jonathan lança en l'air le cœur en rubis en criant :

– Vas-y, Florence !

Dans sa toge tourbillonnante, Mme Zimmermann récita une incantation en pointant sa baguette vers le cœur. Il fila vers le ciel comme une flèche... et Kévin sentit le rivet jaillir de sa main. Deux traînées flamboyantes montèrent à toute allure dans les profondeurs de la nuit.

En poussant un cri de terreur, le monstre tendit les bras vers le ciel... puis se liquéfia soudain en une trace argentée qui s'élança à la poursuite du cœur!

Pendant quelques instants, ils virent les trois sillages lumineux monter plus haut, toujours plus haut, jusqu'à ce qu'ils s'estompent progressivement avant de disparaître.

– Est-ce qu'ils retomberont un jour? demanda Emily.

– Oui, mais à la surface de la comète! répondit Mme Zimmermann.

Kévin s'aperçut qu'elle n'avait plus sa toge et sa baguette. Elle ne tenait dans la main que son parapluie noir mais, dans le pommeau de cristal, une étoile violette scintillait.

Jonathan avança au bord du talus et éclaira la rivière avec la lampe de poche.

– Berk! cria-t-il.

Kévin le rejoignit. Il ne restait de Méphistophélès Moote qu'une traînée de poudre grise à la surface de l'eau.

– Qu'est-ce qui s'est passé ? demanda-t-il.

– En le touchant, répondit oncle Jonathan, le tentacule a aspiré son énergie vitale et n'a laissé qu'une simple enveloppe desséchée. Et quand il est tombé, elle s'est désintégrée.

– Alors tout est fini ? s'écria Emily.

Mme Zimmermann poussa un soupir.

– Le temps seul le dira.

Tous les grillons se remirent soudain à chanter, et Kévin se dit qu'il n'avait jamais entendu de bruit plus rassurant.

Chapitre 15

L'été passa et, au mois de septembre, Kévin et Emily retournèrent au collège. Pendant toute cette période, Kévin se sentit nerveux, comme si les choses n'étaient pas vraiment terminées. Il dormait mal, car des rêves terrifiants ne cessaient de le réveiller en sursaut. Emily faisait elle aussi des cauchemars, et la pensée de l'étrange créature et de la comète rouge la hantait toujours.

Un vendredi soir, Mme Zimmermann vint préparer le dîner. Kévin avait invité Emily, et les deux amis étaient dans la cuisine en train de l'aider à mouliner la purée de pommes de terre quand Jonathan les appela tous les trois :

– Venez vite !

Ils se précipitèrent au salon où Jonathan leur montra du doigt l'écran de télévision.

– Écoutez ça !

Le présentateur du journal parlait de la comète :

– Les astronomes sont maintenant convaincus que l'étrange comète rouge qui était visible à l'œil nu en juillet dernier a disparu. Elle est passée derrière le soleil en août et aurait dû réapparaître début septembre. Selon eux, un objet céleste – sans doute un petit astéroïde – a dû la heurter et l'a détournée de son orbite normale. Elle s'est ensuite désintégrée, soit à cause de la gravité solaire, soit en tombant directement sur le soleil, ce qui est le plus vraisemblable. Voici les autres informations...

– C'est la meilleure nouvelle que j'ai jamais entendue ! s'écria Mme Zimmermann. Un gros souci de moins !

– Ce n'est pas un astéroïde qui l'a heurtée ! dit Emily d'un air entendu. C'est un rubis, un rivet et une horrible masse visqueuse.

– Exactement, opina Jonathan. Et s'ils ont été propulsés à une vitesse supersonique vers la comète rouge censée abriter les Grands Anciens, c'est grâce à la formule magique mise au point par notre merveilleux Mouton frisé ! Tu as eu une idée de génie, Florence, en orientant ta magie sur ces objets, et non sur Méphistophélès Moote et son horrible monstre.

– Merci, Barbe folle, répondit en souriant Mme Zimmermann. En fait, je n'étais pas vraiment sûre que ça marche, et je suis très contente d'avoir réussi mon coup.

– Et moi, je suis ravi que les Moote aient enfin quitté définitivement ce monde, conclut Jonathan. Ils avaient planifié tout ça depuis des années, et ce sont eux qui se sont plaints les premiers de la vétusté du pont de la rivière Wilder. Ils ont persuadé le comté de le démolir car ils savaient que la comète rouge approchait et voulaient libérer cette créature.

– Est-ce que ce monstre était vraiment Jebediah Clabbernong ? demanda Emily.

– Oui, du moins en partie, lui répondit Mme Zimmermann. L'autre partie était un être d'une autre dimension venu sur Terre dans une météorite. Au départ, ce n'était sans doute qu'une petite masse de gelée informe. Mais quand Elihu a jeté les cendres du vieux Jebediah dans la

rivière, elle les a absorbées. Et elle est devenue une créature qui était juste assez humaine pour désirer une âme et juste assez monstrueuse pour aspirer la vie de tout ce qu'elle touchait.

Oncle Jonathan caressa sa barbe rousse.

– Quel bonheur d'être enfin débarrassé des Moote ! Tu te rappelles, Florence ? La première fois que j'ai vu ces deux-là, je t'ai dit qu'ils manigançaient quelque chose de diabolique…

– Ah bon, vous parliez des Moote ! s'écria Kévin. J'ai surpris votre conversation sans le vouloir, oncle Jonathan, mais j'ai cru que vous parliez d'Emily et moi !

Jonathan haussa les sourcils d'un air étonné, puis jeta la tête en arrière en éclatant de rire.

– Enfin, Kévin ! Tu devrais mieux me connaître, maintenant ! À propos, je ne suis pas très content que tu aies fait toutes ces choses en cachette, que tu sois descendu dans ce puits, *et cetera*. Tu sais, Kévin, tu es plus qu'un simple neveu pour moi ! Tu es toute ma famille, en fait. Et toute ma vie !

– Personne ne craint plus rien désormais, n'est-ce pas ? demanda Emily, l'air anxieux.

Mme Zimmermann posa la main sur son épaule.

– Tu peux être tranquille, le monde est à jamais débarrassé de la folie des Moote et de l'âme errante du vieux Jebediah Clabbernong, affirma-t-elle à sa jeune amie.

Kévin vit qu'Emily se détendait enfin. Mme Zimmermann lui tapota l'épaule en ajoutant :

– Et si autre chose devait un jour nous inquiéter, je crois que nous avons tous les quatre une arme magique particulièrement efficace !

– Oui, notre amitié ! s'écria Jonathan. Nous nous tenons les coudes et nous faisons de notre mieux, même quand nous sommes morts de peur. Et nous nous alimentons à peu près décemment, si mon odorat ne me trompe pas !

Le dîner fut succulent. Puis, dans cette fraîche et claire soirée du début de l'automne, ils s'installèrent dans le jardin derrière la maison et passèrent une heure à regarder les étoiles et les planètes dans le télescope. Elles n'avaient plus rien d'effrayant et scintillaient dans le ciel nocturne, belles et mystérieuses.

Kévin sentit les soucis et les peurs de l'été se dissiper en les contemplant. L'univers gravitait autour de lui, parfaitement ordonné, et avec ces millions de petites lumières qui brillaient avec bienveillance, il ne se sentait pas seul dans l'obscurité de la nuit. Tard dans la soirée, tout le monde rentra dans la maison. Et, ce soir-là, Kévin s'endormit enfin paisiblement et fit de beaux rêves souriants.

Retrouvez Kévin et Emily dans la suite de leurs aventures !

À paraître en janvier 2004

KÉVIN ET LES MAGICIENS 8

Le Spectre du musée

Cet ouvrage a été achevé d'imprimer sur Roto-Page par l'Imprimerie Floch à Mayenne en août 2003. Éditions du Rocher 28, rue Comte-Félix-Gastaldi Monaco. Dépôt légal : septembre 2003. N° d'édition : CNE section commerce et industrie Monaco : 19023. N° d'impression : 57888.
Imprimé en France